ELISABETH LANGE | ELMAR TRUNZ-CARLISI

LOS 50 MEJORES CONSEJOS PARA ADELGAZAR

HISPANO
EUROPEA

ÍNDICE

Peso bajo control 4

Peso bajo control

El que tiene un par de kilos de más siempre oye cosas parecidas a: «¡Debes adelgazar!». Quizá conteste con honestidad, consciente de su culpabilidad: «¡Sí, por supuesto!». Pero en realidad lo que piensa es: «¿Y cómo hacerlo? Es como si alguien me dijera que tengo que conseguir que mis pies sean más pequeños o algo parecido».

Vivir por encima de la relación de calorías de cada uno, es decir, quemar más calorías de las que se aportan puede ser un auténtico deseo, pero la mayoría de las veces no se puede conseguir. Los kilos de más son fastidiosos y el exceso de apetito nos agobia. ¡Hay que comer menos!

Pero ¿cómo se puede conseguir sin sufrir una caída en el rendimiento y estar constantemente de mal humor? Cuanto más estrictas sean las reglas de una dieta rígida, más padecerá el control biológico del «automatismo» que se refiere a los hábitos de comer. Incluso aunque la mente ponga su mejor voluntad, la mayoría de las veces el cuerpo es mucho más débil si el cerebro percibe la apremiante «llamada» de la comida. Por eso puede ocurrir que incluso las personas con más autodisciplina puedan, al cabo de cierto tiempo, sentir flaquear su autocontrol a causa del hambre que les atormenta y acaban por ingerir un par de miles de calorías en una sola comida. Los psicólogos norteamericanos lo denominan efecto «¡Que se vaya todo al diablo!». Una vez que ha fallado de nuevo el control sobre el hambre, mucha gente deseosa de adelgazar duda de su fuerza de voluntad y se ve afectada por la depresión. Se sienten, y son injustos con ellos mismos, como unos completos fracasados. Es nuestro propio organismo el que, sirviéndose de trucos biológicos, genera las condiciones necesarias para la recaída.

Por lo tanto, lo mejor no es maquinar de inmediato una gran revolución en nuestra dieta, sino tratar de avanzar a pequeños pasos y, gracias a una serie de minúsculos cambios, progresar poco a poco hacia un nuevo modo de vida más relajado, pero siempre complaciente con nuestra figura. Por lo tanto, lo mejor es que si se logra cambiar el comportamiento propio a base de pequeños y metódicos reajustes en nuestra vida cotidiana, aumentarán las oportunidades de un éxito mantenido a la hora de adelgazar, incluso sin que surja el «efecto yo-yo» o «efecto rebote».

Para conseguir un cuerpo terso

Aunque creas que tu propensión a la corpulencia es algo hereditario, en ningún caso debes abandonarte en manos de esa tendencia. «Ejercicio», ésa es la palabra clave. Si se hace que los músculos trabajen con vigor todos los días, no importa que sea en la oficina o en el jardín, tu organismo perdonará alguna que otra escapada a la nevera. En cambio, si utilizas el coche hasta en los recorridos más cortos, trabajas sentada todo el día en la silla de la oficina y luego te aplastas delante del televisor, la comida, por poca que sea, entrará de inmediato a formar parte de tu peso. Parece que sería correcto decir que al estar sentado mucho tiempo, se necesita comer poco, pero de esa forma también se pone al cuerpo en un aprieto. Quien come poco obtiene poca cantidad de los nutrientes necesarios para la vida. Y eso se refleja tanto en el humor del individuo como en su piel y su pelo. Si se desea adelgazar, lo mejor es arriesgarse a emprender una vida mucho más activa. No hay camino más idóneo para vencer la sensación de hambre insaciable y conseguir un estado de bienestar anímico que levantarse del sofá y ponerse en movimiento. Nuestros consejos deportivos te servirán de ayuda para esos casos.

Todo, por poco que sea, sirve de ayuda

Incluso aunque una persona solo pueda servirse de dos o tres de los 50 trucos que exponemos en esta obra, ya estará encauzada en el camino adecuado. Los pequeños cambios en los hábitos diarios, útiles para favorecer la figura, acaban por integrarse y a medida que pasa el tiempo proporcionan una pérdida de peso persistente y ofrecen a cada uno la posibilidad de conseguir unos objetivos adaptados a su individualidad. En eso se basa la gran oportunidad que ofrecen estos 50 consejos, que han sido documentados científicamente. No es preciso que los leas todos, lo mejor es que selecciones los que te parezcan más adecuados para ti y los pruebes de forma aislada o combinada. Estos consejos, sin necesidad de tenerlos presentes a lo largo de toda tu vida, te ayudarán a encontrar la senda hacia un peso que te haga sentir bien y sea saludable; no obstante cualquiera de los trucos te abrirá una puerta para conseguir el anhelado éxito a largo plazo.

El arte de los pasos pequeños

A lo mejor lo has constatado al leer los primeros consejos: «Esto no es para mí». Pero es necesario que sigas hojeando el libro. En cualquier lugar se esconde la clave que te conseguirá el éxito a la hora de adelgazar. Selecciona en principio las propuestas con las que quieres arrancar durante las cuatro primeras semanas y después coloca una señal en el libro. Limítate a confiar en tu propia intuición. De hecho, un único consejo para conseguir una figura esbelta puede hacerte avanzar un buen tramo en el objetivo de tus sueños, basta con que consigas integrarlo de forma consecuente en tus hábitos de vida. El tipo de cada persona es el que dicta si se debe comenzar con una modificación que resulte sencilla u otra que parezca más complicada. No te exijas demasiado de una sola vez, pues podría ocurrir que perdieras el deseo de continuar.

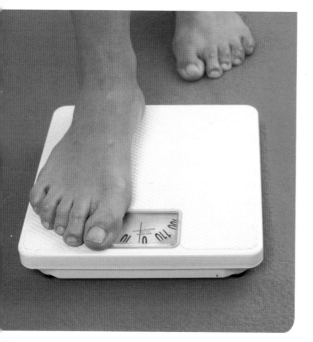

01

Fuera las dietas que «no me permiten nada»

LOS QUE LLEVAN CONSIGO UN PAR DE KILOS DE MÁS renuncian a cualquier disfrute con tal de poder adelgazar. Nada de nata y adiós al chocolate o al embutido. Tan pronto como se esfuman del plan de comidas sus platos favoritos, tan ricos en calorías, quedan prendidos en la frustrante trampa del «no me permiten nada». Sin embargo, nuestras células grises orientadas al disfrute sensorial no soportan mantenerse durante mucho tiempo en esas épocas de vacas flacas. Al cabo de solo un par de días, nuestro cerebro organiza un adversario más poderoso que se sale con la suya al imponer su derecho a sensaciones agradables; genera accesos de hambre insaciable hacia las grasas y los dulces, y lo consigue incluso en contra de la más vigorosa voluntad que se le intente oponer.

DISFRUTAR **AL COMER**

Quien se ejercita para conseguir su renuncia a todo y deja de lado todos los goces culinarios, cae víctima de inmediato de la frustración hacia la dieta. Después se impone el aburrimiento y se buscan nuevas golosinas, a pesar de que en los platos «permitidos» en la dieta el número de calorías sea abundante y haya bastante comida en cada ración. Después de todo, queremos emplear un par de cientos de diversas células sensoriales, incluidas las que se ocupan sobre todo de reaccionar ante el dulce.

Comer con sosiego y dedicación hace que se iluminen los centros de placer de nuestro cerebro. Si no nos tomamos ningún tiempo para registrar lo que hay de verdad en nuestro plato, acabaremos por comer demasiado. También puede servirnos de ayuda una incursión en los nuevos mundos del disfrute. La propia naturaleza nos ha dado el anhelo hacia las vivencias y los placeres sensuales.

¡Me permito un disfrute mayor!

▨ Nunca hay que dejarlo pasar de largo

Come siempre lo que quieras. Pero coloca ese pequeño tentempié en un plato, siéntate y examina con tranquilidad lo que vas a sacar de provecho de esa comida.

▨ Compra solo lo que te guste de verdad

A lo mejor hace muchos años que comes el queso sin grasa a pesar de que el que te gusta de verdad es el más graso. ¿Qué podría suceder si te decides a comprar de nuevo la clase que más te apetece? Pero no te lo metas de inmediato en la boca, sino que disfruta solo de una pequeña ración y siéntate en la mesa a saborearla.

▨ El primer bocado es el más delicioso

Concéntrate por un momento en el buen sabor y la agradable sensación que te produce tu comida preferida. Deja los cubiertos sobre la mesa y piensa después de cada bocado si el siguiente te va a resultar aún mejor. Si crees que no va a ocurrir así, lo mejor es que dejes de comer.

▨ Novedades para las células sensoriales

Rellena de vez en cuando tu biblioteca personal de olores y matices de sabor con algunas novedades, y renueva las viejas y agradables experiencias sensoriales.

02

Comprueba si necesitas adelgazar

¿ESTOY, DE VERDAD, DEMASIADO GORDO/A? La mayoría de las personas contestan a esta pregunta con una crítica mirada en el espejo. No obstante, el peso ideal de cada uno no se puede leer en una tabla ni calcular con ninguna fórmula. Es una magnitud individual y subjetiva que, con una alimentación razonable y el suficiente ejercicio, la mayoría de las veces puede alcanzarse sin tener que llevar una excesiva contabilidad de las calorías que se consumen; este peso ideal está situado en el margen en el que uno se siente atractivo, saludable y en pleno rendimiento.

DISFRUTAR AL COMER

Los expertos en salud miden y calculan el Índice de Masa Corporal o IMC (en inglés Body Mass Index: BMI). El resultado no viene dado en kilogramos, sino que se trata de un indicador para la masa de nuestro organismo. La fórmula es la siguiente:

$$IMC = \frac{\text{Peso corporal (en kg)}}{[\text{Estatura (en metros)}]^2}$$

A quien no le apetezca demasiado utilizar la calculadora de bolsillo, en internet existe una gran variedad de páginas a las que se le proporcionan los datos individuales y devuelven de inmediato el valor del IMC. ¿Tienes un IMC entre 19 y 25? En tal caso no necesitas ninguna dieta, estás en un peso normal. A edades más avanzadas, el índice puede ser incluso mayor. Las personas de más de sesenta y cuatro años que tengan un IMC de 29 no precisan adelgazar; existe, no obstante, una excepción: una barriga demasiado redonda. En lo que se refiere a la salud, el IMC y la báscula son menos importantes que el perímetro de las caderas o la cintura, pues las células adiposas abdominales pueden dar al traste con el metabolismo. Hay que echar mano de la cinta métrica para medir el contorno de la cintura cuando se está en posición erguida. La zona más adecuada para tomar el perímetro se sitúa entre la cresta ilíaca y el borde inferior del hueso pelviano, poco más o menos a la altura del ombligo. Si ahora se divide el contorno de la cintura por el de la cadera, el valor saludable para una mujer debe estar por debajo de 0,8 mientras que en los hombres ha de ser inferior a 0,9.

03

Acumula «kilómetros de bonificación» en tu actividad diaria

¡NO TODO TIENE POR QUÉ SER DEPORTE! Nuestro cuerpo será más o menos el mismo tanto si consume las calorías durante una caminata a buen paso como si lo hace en una clase de aeróbic. Lo importante es que se muevan los músculos, que suba el pulso y que el metabolismo se acelere. Y esto no ha de ocurrir a toda costa al sudar, pues los esfuerzos moderados son igual de útiles. La actividad diaria proporciona muchas posibilidades para acumular «kilómetros de bonificación» y quemar cantidades extra de grasa. ¡Sería una verdadera lástima que no utilizaras esas oportunidades!

CADA PASO TE HACE ADELGAZAR O, AL MENOS, MANTENER EL PESO

Los estudios más actuales corroboran que nosotros, los seres humanos, necesitamos una determinada cantidad de ejercicio para mantenernos saludables y en plena forma. Las referencias internacionales sugieren que todos los días hay que practicar ejercicio durante al menos 30 minutos.

Quien desee adelgazar debe considerar esa cifra como un mínimo absoluto e incrementar al máximo la práctica de ejercicio. Carece de importancia que la actividad se lleve a cabo de un tirón o en pequeñas etapas. En el balance calórico (la relación entre la energía ingerida en la alimentación y la consumida por el organismo) cuenta, literalmente, cualquier paso que se dé. El que, por ejemplo, haga cualquier recorrido a pie y, en consecuencia, evite los ascensores y suba a pie las escaleras, o trate de practicar, y no esquivar, algún que otro esfuerzo por pequeño que sea, al final de la jornada de trabajo ya habrá hecho la «mitad del gasto» del consumo de calorías que resulta recomendable, sin pérdidas de tiempo dignas de mención, gratis y sin necesidad de practicar ningún deporte.

Si, además, luego se planta la ropa de deporte y da un par de saltos y alguna que otra vuelta por ahí, ¡mejor que mejor!

Así consigues «kilómetros de bonificación»

En buena forma durante el día

Comienza el día con una sesión de *walking*. Aparca el automóvil algo lejos de la oficina o bájate del autobús una parada antes de lo habitual y ponte a caminar. Eso te debe suponer un recorrido que, hecho a buen paso, consuma de 5 a 10 minutos (está claro que será mejor si es un poco más largo) en función de tu velocidad de paseo. Te espabilará, vigorizarás tu circulación y habrás conseguido la primera remesa de «kilómetros de bonificación».

Hacer ejercicio
en lugar de empujar el carrito

No le des ninguna oportunidad a la «persona sedente» que existe en ti y haz ejercicio físico. Carga adrede con la bolsa de la compra o con la (media) caja de bebidas en lugar de servirte siempre del carrito de la compra.

Engaña a la hormona del estrés

Durante una fatigosa jornada laboral se puede acumular mucho estrés. La posibilidad más efectiva para eliminar de nuevo la hormona acumulada consiste en la actividad física. Son muy adecuados, por ejemplo, los paseos nocturnos o el trabajo en casa o el jardín. La forma en que lo lleves a cabo es cosa tuya, lo esencial es que hagas ejercicio.

04

Camuflar las legumbres

BUENAS PARA LOS RUIDOS QUE HACE LA BARRIGA. Estas valiosas semillas nos sacian de forma tan eficaz que es posible que al día siguiente aún no notes nada de hambre. Pueden estar ocultas en «platos de cuchara», en salsas para pasta, en los gratinados, las sopas y los guisos. O se puede echar un puñado de ellas en una ensalada fresca. Preparadas en puré constituyen una fantástica base para la realización de dips y aliños. Y tanto las habichuelas como los garbanzos se pueden esconder muy bien dentro de la masa pastelera.

ESTÁ COMPROBADO: LOS ADICTOS A LAS JUDÍAS PESAN MENOS

Ciertos estudios han demostrado hace ya mucho tiempo que las personas que incluyen las habichuelas en su dieta registran en la báscula menos peso que el resto de la población. Los investigadores canadienses han constatado los siguientes datos.

Las personas que comen judías:

> Son más esbeltas de cintura.
> Su tensión arterial es más baja.
> Su abastecimiento de fibra es mucho mejor.
> Tienen mucho más estable el nivel de azúcar en sangre.
> Están mejor protegidas contra los accesos de hambre insaciable.

Por supuesto, existe la constancia de que provocan un exceso de gases y ruidos gástricos. Sin embargo, es posible aminorar esos gorgoteos en el estómago sobre la base de no ingerir de golpe una gran ración de judías con chili, sino aumentar poco a poco el tamaño de las raciones. De esa forma, la flora intestinal puede amoldarse a las circunstancias y hacer su silencioso trabajo. Por lo demás, también sirve de ayuda regarlas con agua hirviendo o con el líquido que viene en el bote de lata y asustarlas con agua fría. De esa forma se elimina parte de las sustancias que provocan los gases.

Los garbanzos y la harina de judías de soja aportan una parte de las cantidades necesarias de aceites y proteínas.

Muffins con jengibre y limón

Ingredientes para 12/14 *muffins*

150 g de garbanzos
(escurridos, de bote)
20 g de jengibre fresco
1 huevo
4 cucharadas de aceite vegetal
200 ml de leche
1 cucharada de harina de soja
desgrasada (en comercios de
productos dietéticos)
1 mezcla para hornear bizcochos de
limón (contenido aprox.: 450/480 g)

1 Escurrir los garbanzos y echarlos en un recipiente alto. Pelar el jengibre, hacerlo rodajas y agregar al recipiente junto con el huevo, el aceite y la leche; mezclarlo todo con una batidora hasta conseguir una pasta homogénea y clara.

2 Echar en un bol la harina y la mezcla para hornear. Agregar la masa de garbanzos y usar la batidora de varilla a su máxima potencia durante 3 minutos hasta montar una masa uniforme.

3 Repartir la masa en canastillas de papel o en los huecos de un molde de horno para magdalenas. Precalentar el horno a 180 °C y hornear durante unos 30 minutos.

3 Dejar que los muffins se enfríen en una rejilla. Se pueden cubrir por encima con un baño de azúcar.

IDEALES PARA CONSERVARSE:

Los *muffins* preparados con garbanzos se conservan jugosos y tiernos durante una semana. También se pueden realizar en forma de bloque y hornear a 180 °C durante 30 minutos.

Salir a comer
sin pasarse de la raya

ACUDIR A UN RESTAURANTE QUE NO OFREZCA TRAMPAS CALÓRICAS. ¿Estás en plena dieta pero te apetece salir a comer con algunas amistades? Ya sabemos lo maravilloso que resulta sentarse en un restaurante con los amigos y divertirse un poco. Al fin y al cabo, las fiestas hay que celebrarlas cuando tocan y se puede relajar un poco el tema del adelgazamiento. Sin embargo, resulta muy útil y cuesta muy poco esfuerzo mantener bajo control el aporte de calorías.

¿SE FORMAN LOS MICHELINES EN FUNCIÓN DE LAS HORAS A LAS QUE SE COME?

¿Se deben suprimir por completo las visitas a los restaurantes? Quien cena en exceso a horas avanzadas de la noche acaba por engordar. Al menos ésa ha sido una afirmación irrebatible a lo largo de los años. En la actualidad ese mito ha acabado por derrumbarse. Expertos nutricionistas norteamericanos de la Universidad de Portland investigaron esa correlación en el mono Rhesus (ese estudio era casi inviable de realizar con seres humanos). Día y noche, los científicos observaron a nuestros parientes primates a lo largo de todo un año para descubrir el momento en que se precipitaban sobre su comida y los efectos que traía consigo la hora en que ocurría.

El resultado fue bastante inesperado: los animales que preferían comer por las tardes y las noches no estaban más gordos que el resto de los individuos del experimento. Este resultado también se corrobora con la observación de que la gente de países del área mediterránea, que no es extraño que se sienten a cenar a horas cercanas a las diez de la noche, no tienen por término medio una constitución física más corpulenta que los centroeuropeos, cuyos hábitos de vida les llevan a la mesa hacia las seis o las siete de la tarde. No se trata, pues, del momento en que se come, sino de la cantidad que se ingiere.

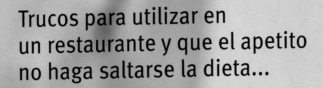

Trucos para utilizar en un restaurante y que el apetito no haga saltarse la dieta...

- Hablar mucho, reírse con frecuencia y comer poco.
- Empezar, como freno del apetito escaso en calorías, con un consomé o una ensalada.
- Poner la cesta del pan en el extremo más alejado de la mesa.
- Cargar poco la cuchara o el tenedor y comer a pequeños bocados.
- Colocar los cubiertos sobre la mesa después de cada bocado.
- Beber traguitos de agua de forma continuada.
- Contemplar con toda calma el aspecto y la estructura de la comida.
- Apuntar de antemano en una libreta algo parecido a: «¡Come despacio!».
- Intentar ser el comensal más pausado de la mesa.
- Procurar que después de acabar cada plato quede algo de comida en él.
- Renunciar en todo caso al alcohol, pues nos hace olvidar los buenos propósitos.

¡Más luz, por favor!

NOS REFERIMOS AL SOL y no a la débil claridad de una lámpara de despacho. Y eso es debido a que la luz natural es para los seres humanos tan importante como la comida o la bebida. Se podría decir que la carencia de luz engorda. Así que en los días más cortos del invierno, cuando el sol sale más tarde y se pone antes, en las horas de mediodía hay que procurar estar al aire libre, incluso aunque el cielo esté nublado.

LA LUZ SOLAR FAVORECE LA FIGURA

Casi todas las personas trabajamos en espacios cerrados e incluso durante las horas libres nos quedamos cómodamente sentados en casa: por esa razón recibimos poca luz natural. Eso hace que nuestro reloj biológico interno acabe por perder el ritmo y el cerebro produzca demasiada melatonina, que es la hormona reguladora del sueño.

Las personas más delicadas reaccionan con un estado de ánimo deprimido. Padecen ataques de hambre insaciable por las golosinas y los dulces y no les divierte hacer ejercicio. Reciben poca luz del día en la piel, lo que hace disminuir sus reservas de vitamina D. De acuerdo con los conocimientos más recientes, el nivel de esa vitamina debe ser superior a los valores que hasta ahora se han estimado como normales.

La denominada «hormona del sol» (la vitamina D) aparece de forma muy limitada en la alimentación. Nuestra epidermis la produce por efecto de los rayos ultravioleta (UVA) y eso requiere que todos los días expongamos durante unos 20 minutos la piel desnuda al efecto de tan beneficiosa radiación. Mejor si ese tiempo se prolonga un poco, pues la «vitamina de la luz» favorece la absorción de calcio y activa de forma indirecta la combustión de las grasas. Quien se mantiene en el interior de su casa no solo necesita menos calorías que los demás, sino que además frena su metabolismo y el consumo de grasas.

Al encuentro del sol

Bañarse en luz clara

En invierno debes permitir que la luz del día incida con la mayor frecuencia posible tanto en la piel y el rostro como en el resto de la epidermis corporal. Una buena oportunidad puede ser el momento de terminar una sauna y, sin ninguna prenda de ropa, salir al aire libre a «soltar vapor». También puede hacerse colocándote en un rincón protegido del balcón o en una ventana abierta por la que durante el mediodía entren los rayos solares.

Salir a la calle entre las doce y la una del mediodía

Para estimular la formación de vitamina D y ajustar de nuevo tu reloj biológico interno, debes hacer todo lo posible por dar un corto paseo en la pausa laboral del mediodía. Servirá para amortiguar el hambre canina por los rápidos hidratos de carbono. Es importante para nuestros reducidos «depósitos de sol» que renunciemos a las gafas de sol y a las cremas de día con factor de protección, y mantener al descubierto las manos, el cuello y el escote. No obstante, esto no es en absoluto una llamada a someterse a prolongados baños de sol sin ningún tipo de protección. Hay que observar las recomendaciones usuales en lo que se refiere a la protección contra el cáncer de piel (melanoma).

Utilizar las mejores fuentes de vitamina D

Hay que servirse, al menos dos veces a la semana, del pescado como plato fuerte; dedica tus preferencias a la caballa, los arenques y el salmón. Si no tienes una buena pescadería cerca de casa, el pescado congelado o en conserva te puede ofrecer el mismo servicio.

07

Plan en 4 pasos
para eliminar la barriga

¡HAZ QUE LOS MÚSCULOS CREZCAN! ¿No te parece que donde antes la falda o el pantalón caían en vertical, ahora hay un leve promontorio? No dudes de que ha llegado el momento de acabar con esos indeseados michelines. No basta con unos firmes músculos abdominales, sino que es necesario que se implique toda la musculatura corporal en el trabajo de reducir esa «redondez». Y lo mejor de todo ello es que con cada gramo adicional de músculo aumenta la alegría vital y hace que el sexo resulte más divertido. Prometido.

LA RELACIÓN DE LA TESTOSTERONA **CON LOS MÚSCULOS**

Además de nuestra predisposición al exceso del disfrute, existe una gran cantidad de trastornos del metabolismo que hace que la parte central de tu cuerpo se hinche. Es frecuente que (incluso en el caso de las mujeres) la hormona testosterona se vea implicada en esos temas. Esta hormona estimula en ambos sexos la estructuración de músculos y huesos y reduce la masa adiposa. Si desciende el nivel de testosterona, las almohadillas de grasa (los michelines) acaban por crecer mientras se debilitan los músculos.

Son muchas las ocasiones en que el sobrepeso provoca la carencia hormonal, pues si los músculos perezosos flojean y almacenan grasa, se acaba por hundir el nivel de testosterona. Por suerte es muy posible volver a equilibrar esta producción hormonal: basta con entrenamiento muscular y la renuncia a las calorías innecesarias.

Si se exige lo suficiente tanto a los bíceps como al resto de los músculos, en su interior surgen unas grietas diminutas, casi microscópicas. En ese caso acude el «equipo de reparaciones» del organismo y refuerza esas microlesiones con proteínas, con lo que el músculo crece. Pero ese proceso precisa algún tiempo; es necesario entrenar, a lo sumo, en días alternos. No deben aparecer agujetas, ya que serían un claro síntoma de que la exigencia de esfuerzo ha sido demasiado elevada.

Acabar con la barriga en 4 pasos

■ Paso 1 **Reconocimiento médico**
Es necesario que el médico compruebe tu nivel de azúcar en sangre, tu estado hormonal y que lleve a cabo un chequeo del corazón y los vasos sanguíneos. Si todo está en orden, certificará que puedes comenzar a realizar un entrenamiento intensivo de fuerza.

■ Paso 2 **Comienzo del entrenamiento**
Lo primero que debes hacer es medir tu perímetro abdominal con una cinta métrica y anotarlo; luego ya puedes continuar. Pídele al entrenador de tu gimnasio que te prepare un programa de estructuración de la musculatura. Debes seguir ese plan de entrenamiento al menos dos veces a la semana, y si es más, mejor.

■ Paso 3 **Más proteínas**
Es necesario limitar o anular por completo el consumo de alcohol. Por las noches debes renunciar, dos o tres veces a la semana, a la ingesta de carbohidratos. Toma más albúmina en forma de pescado, aves o productos lácteos desnatados y combínalos con verduras y ensaladas. Mide una vez a la semana tu contorno abdominal.

■ Paso 4 **Persistencia**
Y ahora se necesita un poco de paciencia. En las primeras semanas de entrenamiento lo que más suele mejorar es la coordinación de la musculatura. A partir de la cuarta semana ya comienza la estructuración de los músculos, lo que ayudará al organismo para que produzca más testosterona y con ello se fomente a la larga, de forma decisiva, el proceso de adelgazamiento. Por lo tanto hay que ser persistente, todo empezará a funcionar a partir del segundo mes...

08

Para que funcione ha de ser divertido: encontrar el tipo de deporte adecuado

EL ABANICO DE TIPOS DE DEPORTE DE OCIO es muy amplio y diverso; en él existirá con toda seguridad uno adecuado para ti. Piensa cuál de todos ellos te puede resultar más divertido, cuál te va a motivar para practicarlo de una forma regular y persistente. Es posible que sea uno por el que ya sintieras interés hace tiempo y que dejaste de practicar en algún momento. O quizá pueda ser uno que te resulte nuevo por completo y con el que siempre hayas pensado entrar en contacto.

PARA QUE LOS INICIOS SEAN LOS ADECUADOS

A la hora de elegir debes echar un vistazo previo a las condiciones exigidas para la práctica de cada una de las clases de deporte. Por ejemplo, existe una gran diferencia si uno de esos deportes conlleva unas horas fijas de entrenamiento o si prefieres que, en general, sea más flexible. Piensa durante un instante en el tipo de deporte que más te interesa: ¿buscas más una experiencia motivadora integrándote en un grupo o prefieres un deporte más individualista? Nuestra lista de la próxima página te ayudará a encontrar lo más adecuado para tu vida deportiva.

Importante: si no has practicado deporte desde hace años, tus comienzos deben ser sosegados y seguros. Los tendones, los ligamentos y las articulaciones reaccionan de forma muy sensible. Cuanto más larga haya sido tu ausencia del deporte, con mayor cuidado deberás comenzar la reanudación del trabajo, pues siempre existe el peligro de querer empezar con el mismo rendimiento con el que lo dejaste tiempo atrás. Está claro que esto supone un esfuerzo excesivo para el organismo y son muchas las ocasiones (tal y como nos informan las estadísticas) en que se producen lesiones y surge la frustración. Es necesario tomarse un plazo de gracia que puede durar varias semanas.

¿Qué tipo de ejercicio es el adecuado para ti?

▪ Caminar (*walking*), correr, montar en bicicleta, patinaje en línea o nadar: se puede hacer **de forma individual** o **en grupo**. Quien quiera mantener actividades comunitarias puede adherirse a un grupo, lo que conlleva un aumento de la motivación. Eso también puede funcionar con un entrenamiento en gimnasio: los establecimientos modernos ofrecen una variada diversidad de cursos para entrenamientos en grupo. Incluso la práctica con aparatos puede convertirse en una experiencia grupal si, por ejemplo, se forma un círculo especial con la supervisión de un entrenador.

▪ **El ejercicio y las vivencias en la naturaleza** se adaptan muy bien. Da igual que se trate de caminatas, marchas, hacer *mountain bike*, esquiar o navegar a vela: la oferta está muy diversificada. Lo mejor es salir al aire libre y comenzar.

▪ Los que sienten en su interior el instinto del juego lo pasarán en grande con **ciertos tipos de deportes de pelota**. Para que también participe la salud, en principio sería necesario que te pusieras en forma con unos ejercicios de *fitness* y que siempre tengas bajo control tu peso corporal (IMC por debajo de 30).

▪ ¿Te sientes más motivado y te mueves mejor al escuchar **música y ritmos animados**? Entonces deberías decantarte por deportes relacionados con el baile.

Puede que también te apetezca asistir a unos cursos de *fitness* con acompañamiento musical, como pueden ser el aeróbic o similares.

▪ Lo más tranquilo y que se presta a la meditación es la práctica de **yoga, pilates, *tai chi*** y **qigong**. El centro de la atención de esas actividades se orienta a la armonía entre el cuerpo, el espíritu y la mente; para muchos supone un contraste muy adecuado para enfrentarse al estrés de la vida diaria.

09

Es imprescindible desayunar

SIN DESAYUNO SE ENGORDA EN SEGUIDA. Levantarse, vestirse, prepararse y salir. ¿Sentarse a comer con calma por las mañanas? No hay tiempo para eso. Como mucho un café, y de pie. Los que han cenado opíparamente la noche anterior, intentan por las mañanas compensar el exceso de calorías. ¡No es una buena idea! Desayunar con regularidad mejora las posibilidades de adelgazar de forma agradable y eficaz.

NOVEDADES DESDE LA PRIMERA COMIDA

Una serie de consultas en el ámbito de los países occidentales relativas a los hábitos de alimentación de sus trabajadores y empleados arrojó el resultado de que había mucha gente, sobre todo las personas por debajo de los treinta años, que solía saltarse la primera comida: uno de cada dos salían de casa sin tomar nada en absoluto. Quien quiere tener en jaque sus kilos de más suele saltarse el desayuno sin tener en cuenta que, a pesar de las calorías ahorradas, no le hace ningún favor a su organismo. Y eso lo demuestra también una amplia serie de estudios recientes de origen estadounidense. ¿Cuál es el motivo? Se ha demostrado que los reacios a comer por las mañanas sufren un elevado riesgo de acabar obesos. En cambio, el que nada más levantarse ingiere una comida equilibrada, es raro que por las tardes y las noches sufra las insidias de los ataques del deseo por los tentempiés. Da igual que el menú mañanero esté compuesto por muesli con yogur, un sabroso panecillo con mantequilla o una tortilla, todo es cuestión de gustos. Lo principal es que con la primera comida se cubra al menos una cuarta parte de las calorías necesarias para todo el día. ¿No tienes hambre recién levantado? Entonces lo mejor es que tomes una bebida saludable y consumas el resto de calorías más tarde, a modo de segundo desayuno.

Mezcla de carbohidratos, fibra, proteína y lecitina: la ayuda perfecta para empezar el día.

Bebida cremosa de chocolate y vainilla

1 ración contiene:
10 g de proteínas | 4 g de grasas |
18 g de carbohidratos | 2,5 g de fibra |
157 de kcal | 663 de kJ

Ingredientes para 2 raciones

½ l de leche semidesnatada
(o desnatada)
1 punta de cuchara de harina
de guar (en comercios
de productos dietéticos)
1 cucharadita de harina de soja
desgrasada (en comercios de
productos dietéticos)
1 cucharadita colmada
de polvo de cacao
1 pizca de vainilla molida
o unas gotas de extracto de vainilla
1 cucharada de miel
o de sirope de arce

1 Echar la leche en un recipiente para mezclar. Revolver bien en un cuenco la harina de guar, la de soja y el polvo de cacao hasta que no queden grumos.

2 Añadir a la leche esta mezcla de cacao junto la vainilla y la miel y batir bien hasta que se forme algo de espuma.

CONSEJO: Esta bebida se puede convertir en una sabrosa salsa de chocolate para agregar a una ensalada de fruta fresca si, en lugar de usar solo una pizca de harina de guar, utilizamos un cuarto de cucharadita. Esta harina es un espesante vegetal muy rico en fibra.

10

La fibra como adelgazante

EMPLEAR TODAS LAS FUENTES DISPONIBLES DE FIBRA. Quien a la hora de cocinar o preparar bizcochos utilice con frecuencia unos ingredientes muy ricos en fibras alimentarias no digeribles, adelgaza de inmediato. No importa cuál de ellas prefieras ni de dónde provenga, pero al principio solo hay que tomar poca cantidad.

Lo mejor es mezclar en primer lugar los ingredientes menos habituales con los que se ingieren de forma acostumbrada. Así, tanto los jugos digestivos como la flora intestinal disponen de la oportunidad de adaptarse poco a poco a la nueva composición de las comidas.

¡ESTUPENDA PARA LA FIGURA!

Se designa como fibra (o sustancias de lastre) a todos los componentes de la alimentación que nuestros jugos gástricos son incapaces de asimilar durante la digestión. Recorren el tracto intestinal sin sufrir ninguna modificación y llevan a cabo multitud de tareas. En el intestino delgado, el cuerpo solo acoge la fibra soluble, que ejerce un efecto de inhibición del apetito. La pectina de la fruta y la verdura, por ejemplo, frena la asimilación de los alimentos. Cuanto más despacio se absorban las calorías, durante más tiempo los sensores transmitirán la sensación de saciedad. La fibra no soluble, como, por ejemplo, la celulosa del salvado, sirve para llenar tanto el plato como el estómago. Favorece la movilidad del intestino grueso y eso conlleva la regularidad de las deposiciones.

Por lo tanto una mayor cantidad de sustancias de lastre sirve de ayuda a largo plazo para los que desean adelgazar, ya que la fibra:

> Llena el estómago y provoca sensación de plenitud.
> Hace que los alimentos den mucho de sí y consigue que la alimentación sea pobre en calorías.
> Ayuda a adelgazar o a mantener el peso.
> Regula el nivel de azúcar en sangre.

El *hit parade* de la fibra

Muy buena para espesar salsas:
harina de semilla de algarrobo, 74 g

Sabroso en el muesli:
salvado de trigo, 45 g

Perfectas para el pan:
semillas de lino, 35 g

En las bebidas y los postres:
cacao en polvo, 33 g

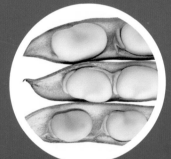

Sabrosa verdura:
habas, 28 g

Ideal para el desayuno: pan
crujiente (clases ricas en fibra), 24 g

Mezclados con queso *quark* o
yogur: brotes de trigo, 18 g

Para guisos y sopas:
judías blancas (secas), 17 g

Fruta crujiente:
manzana, 2,3 g

* Los datos se refieren a 100 g de alimento.

¿Barriga redonda y piernas delgadas? ¡Hay que ir al médico!

NO SIEMPRE ES CULPA DE UN EXCESO DE CALORÍAS. ¿Estás delgada de verdad, pero te molesta esa redondeada barriguita? ¿Y tienes la sensación de que casi no comes más que en otros tiempos? ¡Es algo que puede ocurrir! Hay ocasiones en que los signos externos del cuerpo sirven para indicar que se está produciendo un cambio metabólico. Lo más oportuno es que te hagas un reconocimiento médico a fondo antes de comenzar la dieta, pues ese aumento de la zona central de tu organismo puede ser debido a causas muy distintas. Además de tu estilo de vida y de la alimentación, el origen también puede estar en algunas afecciones o en los medicamentos que tomes.

UN CHEQUEO ANTES DE COMENZAR

Los kilos de más son siempre mal recibidos. Si se han acumulado demasiados no solo se modifica nuestro aspecto sino que también se altera, en unas personas más que en otras, el metabolismo y la interacción de los órganos. Las células adiposas del abdomen, por ejemplo, se comportan como pequeñas fábricas de hormonas y pueden desequilibrar muchas cosas. Además, dificultan de forma considerable nuestros propósitos de adelgazar. Por lo tanto, antes de comenzar con los planes de adelgazamiento existen muy buenos motivos para hacer una visita al médico, él evaluará los valores analíticos que le proporcione el laboratorio y comprobará si están equilibrados los metabolismos de los azúcares y las grasas. También puede merecer la pena realizar un chequeo de la tiroides, así como un test de las hormonas sexuales. La carencia de determinados neurotransmisores aminora la vitalidad, frena el consumo de energía y hace que vayan en aumento los kilos aunque el afectado no intervenga para nada en su incremento.

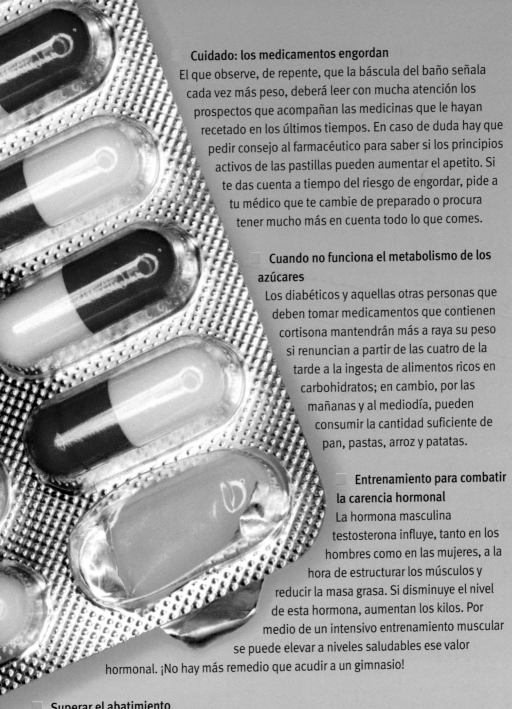

Cuidado: los medicamentos engordan

El que observe, de repente, que la báscula del baño señala cada vez más peso, deberá leer con mucha atención los prospectos que acompañan las medicinas que le hayan recetado en los últimos tiempos. En caso de duda hay que pedir consejo al farmacéutico para saber si los principios activos de las pastillas pueden aumentar el apetito. Si te das cuenta a tiempo del riesgo de engordar, pide a tu médico que te cambie de preparado o procura tener mucho más en cuenta todo lo que comes.

Cuando no funciona el metabolismo de los azúcares

Los diabéticos y aquellas otras personas que deben tomar medicamentos que contienen cortisona mantendrán más a raya su peso si renuncian a partir de las cuatro de la tarde a la ingesta de alimentos ricos en carbohidratos; en cambio, por las mañanas y al mediodía, pueden consumir la cantidad suficiente de pan, pastas, arroz y patatas.

Entrenamiento para combatir la carencia hormonal

La hormona masculina testosterona influye, tanto en los hombres como en las mujeres, a la hora de estructurar los músculos y reducir la masa grasa. Si disminuye el nivel de esta hormona, aumentan los kilos. Por medio de un intensivo entrenamiento muscular se puede elevar a niveles saludables ese valor hormonal. ¡No hay más remedio que acudir a un gimnasio!

Superar el abatimiento

Los medicamentos pueden hacer que surja el cansancio, con lo que se precisa mucha fuerza de voluntad para mantener la actividad física. Lo mejor es la ayuda motivadora que nos pueden proporcionar los amigos y familiares. Un programa de ejercicios que nos divierta servirá para que adelgacemos y contribuirá de inmediato a que nos sintamos saludables.

12

Fuera los prejuicios, ¡ponte las zapatillas de deporte!

HAY QUE SUPERAR LOS TÍPICOS MIEDOS. Cuanto más tiempo te hayas abstenido de la práctica de ejercicio, mayor suele ser el «respeto» con el que has de recomenzar el entrenamiento: ¿puedo hacerlo de verdad? ¿Me responderá el cuerpo? ¿Se reirán de mí las otras personas? ¿Estoy en condiciones de permitírmelo, sobre todo desde el punto de vista económico? Para que estas típicas preguntas y dudas no lleguen a convertirse en «argumentos asesinos», a continuación te vamos a ofrecer los contraargumentos adecuados.

BASTA CON ENCONTRARSE BIEN, NO ES NECESARIO COMPETIR

El entrenamiento deportivo actual no tiene nada que ver con las presiones que ejerce la competición y el rendimiento. El foco central se orienta hacia el ejercicio que cada persona puede experimentar y disfrutar según su propio nivel y sus medios.

«Si no existiera el deporte, habría que inventarlo por motivos de salud.» Esta cita del profesor Wildor Hollman, conocido médico deportivo, deja muy claro que en los deportes de masas lo que se plantea en primera instancia es la salud y el bienestar. De esa afirmación puede sacar provecho cualquier persona siempre que deje de lado todas sus dudas y se incorpore a la actividad.

¿Conoces a personas que hagan marcha nórdica y organicen carreras en su especialidad? ¿O a miembros de algún gimnasio que compitan entre sí según los datos extraídos de un ergómetro o por la cantidad de discos de peso que colocan en los aparatos del gimnasio? Por lo general se trata de gente que hace deporte por razones de salud y solo lo practican en dosis adecuadas, por lo que al mismo tiempo que se divierten se mantienen en forma a largo plazo. Son personas libres de ideas de competitividad y de innecesarias inhibiciones. En esa disputa hay que derrotar a un único adversario: acabar con la falta de voluntad o la abulia interior.

Imponerse a los argumentos destructivos

■ **Me va muy poco el deporte:** en primer lugar, eso no debe ser cierto. En segundo lugar existen tipos de deporte como el *walking*, las marchas nórdicas o la bicicleta que puedes aprender y llevar a la práctica de inmediato.

■ **Tengo miedo de exigirme demasiado:** es necesario que el médico realice una prueba de esfuerzo que, por otra parte, es recomendable para cualquier persona a partir de los treinta y cinco años. Así tendrás la seguridad absoluta de poderte entrenar sin preocupaciones.

■ **Me gustaría que nadie se riera de mí:** de hecho no lo va a hacer nadie, más bien todo lo contrario. Seguro que te animarán y te acogerán con todo cariño, ¿apostamos algo? Muchas personas te admirarán en secreto, sobre todo si ellas mismas no han sido capaces de acabar con sus curvas.

■ **Tengo muy poco tiempo:** necesitas menos de lo que piensas. Al principio solo necesitarás hacer ejercicio durante unos 15 minutos diarios, y eso es algo que se puede compaginar con cualquier agenda.

■ **No quisiera gastarme mucho dinero:** no es necesario, en absoluto, hacerse socio del club de golf más elitista o comprar ropa deportiva de primeras marcas. Hoy en día existen buenas ofertas en los gimnasios y en las asociaciones y, poco a poco, también en todos los cursos de deporte. Los accesorios más caros se pueden pedir, en caso necesario, como regalo de cumpleaños o en navidades.

13

No hay nada permitido o prohibido de forma tajante

¿ENGORDA DE VERDAD EL CHOCOLATE? Lo cierto es que no. Existen suficientes fans del chocolate que disfrutan a diario de un pedazo de esa golosina y, a pesar de eso, se mantienen muy delgados. ¿Adelgaza la ingesta de un exceso de proteínas? No, muchos de los que las consumen solo consiguen estar de mal humor. Por suerte no existen engordadores pero, por desgracia, tampoco hay quemadores de grasas. A la hora de comer no existen reglas de moralidad, no se trata de discernir entre el bien y el mal. Todos los alimentos tienen ventajas e inconvenientes: lo único que cabe decir es que todos los días hay que tratar de acertar renovando las variedades. Quien quiera adelgazar solo deberá seleccionar un espectro que contemple toda la diversidad y, además, que le aporte los nutrientes necesarios. No se trata de ser parco durante unos pocos días en el tema de las calorías, sino que se deben realizar correcciones a largo plazo en los hábitos de alimentación.

ENCONTRAR EL CAMINO ADECUADO **Y ANDAR POR ÉL**

Lo que le va bien a los amigos no tiene por qué adaptarse a nosotros. Lo que suele ser adecuado a los hombres puede servir de poca ayuda para las mujeres. Una mínima cantidad de comida puede engordar a los que se mueven mucho en coche o están siempre sentados ante su mesa de despacho. Sin embargo, en el caso de las personas de carácter deportista que no tienen ningún problema en echar una carrera para alcanzar el autobús en el último segundo, existe la seguridad de que su metabolismo funcionará a muchas revoluciones por lo que, de vez en cuando, se podrán comer un trozo de pastel sin ningún tipo de problemas. Por lo tanto hay que reflexionar desde el primer momento sobre la procedencia de los kilos. Si ya has descubierto lo que siempre te aporta calorías de más, podrás actuar para cambiar un poco.

Así conseguirás acceder a un estilo de vida saludable, placentero y que, al mismo tiempo, te libere de la carga del exceso de peso.

Así comienzas una «vida esbelta»

■ **Plantéate objetivos realistas...:** y hazlo por escrito. Los deseos formulados de forma vaga se esfuman muy de prisa de la cabeza. Por lo tanto, define con tranquilidad lo que quieres alcanzar y apúntalo, ya sea la cantidad de kilos que deben desaparecer, el grado de bienestar que quieres alcanzar, los valores a que deben llegar tus análisis clínicos o las prendas de ropa en que gustaría volver a caber. El truco: es preferible planear algo más de tiempo del que pensabas.

■ **Vacía la nevera:** echa un vistazo a todas tus provisiones. ¿Qué puedes dejar y qué puedes cambiar por una versión más saludable y pobre en calorías? ¿Qué es lo que te gusta comer de verdad y qué es lo que has comprado tan solo porque llevaba escrita la palabra *light* o «dieta» en la etiqueta? De momento, regala todo lo que no necesites.

■ **Planificar de antemano:** piensa todo lo que debe contener tu plan de comidas de la próxima semana. Busca las recetas adecuadas; puedes encontrar montones de ellas en las páginas de internet y hacer la pertinente lista de la compra.

14

Preparar zonas «limpias de comida»

SE TRATA DE UNA SOLUCIÓN PARA TODOS a los que les gusta el picoteo entre horas y que, en cualquier momento, están deseosos por conseguir un pequeño tentempié. A pesar de que cada una de las raciones sea bastante pequeña, con el tiempo estos constantes piscolabis hacen crecer los michelines. Contra eso solo existe una solución: sobreponte a la tentación y consigue preparar en tu casa muchos «espacios limpios» en los que no se pueda encontrar nada comestible.

LA TENTACIÓN ENGORDA

Antes existían unas horas muy definidas para cada una de las comidas. Comer en la calle era de mala educación. Hoy en día, la publicidad de los alimentos nos anima a comer y beber en todo momento y en cualquier sitio. ¿Café con leche para llevar? ¿Un kebab en la parada del autobús, un helado en el metro, chocolate mientras estás sentada en el sofá y unos bombones en la cama? Al pasear nos asaltan cientos de ofertas publicitarias. ¿Y en casa? Es frecuente que en cualquier habitación tengas a tu disposición unos sabrosos tentempiés.

Los investigadores de las universidades estadounidenses de Columbia y Berkeley realizaron un estudio con más de 1.000 escolares; si a menos de 100 m de la escuela existía un restaurante de comida rápida,

entonces los estudiantes de ese centro pesaban unos cuantos kilos más que el resto. De hecho, la seducción transmitida con fotos publicitarias y el olor de los asados y los pasteles sirve para incrementar el apetito. Ahora las autoridades gubernamentales de Estados Unidos barajan la posibilidad de organizar zonas libres de comida en espacios públicos, o bien la de prohibir que se monten cadenas de restaurantes en las estaciones. El omnipresente reclamo hacia la comida provoca que sean pocas las personas capaces de rechazar un exceso de calorías.

> **Resumen:** quien quiera protegerse ante esos piscolabis instintivos debe establecer sus propias reglas, por lo menos mientras esté en casa.

A partir de hoy se acabó

Ni un tentempié en tu puesto de trabajo: si quieres adelgazar, no comas nada mientras estás sentada ante tu mesa de despacho y, además, debes deshacerte de todas las provisiones que guardas en estanterías y armarios.

No comas nunca delante de la «caja tonta»: el ordenador, la televisión o las consolas de juegos provocan una tendencia extrema. Si permaneces delante de una pantalla y te mantienes limpia de calorías, le harás un favor a tu figura.

Nada de migas en la cama: ¡ojos que no ven, corazón que no siente! Destierra de tu dormitorio cualquier piscolabis seductor, como pueden ser las galletas, las patatas fritas o los caramelos.

No debes utilizar el coche como depósito de provisiones: hay ocasiones en que en la guantera o el asiento trasero del coche se acumulan unos cuantos miles de calorías en forma de aperitivos: ¡acaba con todos! Para los viajes más largos es mejor preparar algunos víveres saludables y comer en una pausa del trayecto.

15

Sustituir las bebidas de cola, los refrescos y bebidas similares

¡CADA TRAGO ENGORDA! Además, los fabricantes nos ofrecen sus bebidas en botellas que son cada vez de mayor tamaño. En la actualidad, el volumen habitual de los recipientes de refrescos de un supermercado es de 1,5 litros. Y resultan mucho más baratos si se compran por cajas enteras. Si tienes a mano esas bebidas azucaradas, lo más natural es que te las bebas. Quien se tome a diario un par de vasos de esos refrescos podrá comprobar en ocasiones que empieza a engordar sin saber muy bien las causas. El motivo está en que nuestro cuerpo no capta en esas calorías líquidas la sensación de saciedad. El mejor sistema para adelgazar pasa por la renuncia a todos esos refrescos.

EL AZÚCAR LÍQUIDO **ENGORDA**

Desde que los refrescos con gas, los de cola y las limonadas se han transformado en bebidas energéticas o apropiadas para el *fitness* o el *wellness*, han acabado por adquirir una imagen saludable, y eso a pesar de que su consumo elevado provoca sobrepeso. El ser humano está diseñado para beber agua pura y eso provoca que desde el punto de vista biológico no esté preparado para compensar el aporte adicional de calorías que extrae de los refrescos aunque se hagan comidas menos copiosas.

Los líquidos se eliminan de inmediato, pero sus calorías se mantienen y se convierten en grasa corporal. Esto lo ha corroborado un macroestudio que se realizó en Estados Unidos con 80.000 mujeres y que se prolongó durante ocho años: las mujeres que toman refrescos una o varias veces al día engordan bastante más que las que se abstienen, además la incidencia de diabetes en las consumidoras de esas bebidas duplicaba el número de casos de las que no lo hacían. Es una manifestación de que el riesgo de la afección podía estar provocado por esas sustancias azucaradas.

> **Además:** quien encuentra que el agua es una bebida muy aburrida, no tiene por qué renunciar a saborearla, tal y como muestran las recetas que aparecen a continuación.

Las bebidas de cereza con lima y jengibre con albahaca son unas alternativas muy refrescantes a los refrescos de cola y bebidas similares.

Refresco de cereza con lima

1 vaso contiene (sin azúcar):
0 g de proteínas | 0 g de grasas |
7 g de carbohidratos | 0 g de fibra |
36 de kcal | 152 de kJ

Ingredientes para 10 vasos de unos 200 ml

1 puñado de hojas frescas de menta
½ litro de zumo de cereza
2 limas
Azúcar o edulcorante, según el gusto
Menta fresca para decorar
1,5 l de agua mineral
(con o sin gas, según el gusto)

1 Se aplastan las hojas de menta entre las manos o bien se pican en trozos grandes, luego se rocían con el zumo de cereza y se dejan enfriar en la nevera durante toda la noche. A la mañana siguiente se retira la menta.
2 Se exprimen los limones y se incorporan al zumo. Hay que agregar un poco de azúcar o edulcorante líquido.
3 Según el gusto, se llenan los vasos con un dedo de zumo de cerezas, o bien hasta la cuarta parte de su altura, y luego se completa lo que falta con agua mineral fría. Se sirve decorado con una ramita de menta.

Bebida de jengibre a la albahaca

1 vaso contiene (sin azúcar):
0 g de proteínas | 0 g de grasas |
1 g de carbohidratos | 0 g de fibra |
5 de kcal | 21 de kJ

Ingredientes para 6 vasos de unos 200 ml

Unas 10 hojas de albahaca
1,2 l de agua
1 limón de cultivo ecológico
1 trozo de jengibre fresco

1 Se aplastan las hojas de albahaca entre las manos y se echan en una jarra grande. Luego se rocían con agua fría.
2 Se lava el limón y se corta en tiras delgadas; se pela el jengibre y se corta en rodajas. Agregar ambos ingredientes a la jarra.
3 Se mete la mezcla en un lugar frío y se deja en reposo hasta que empiece a exhalar un intenso aroma. Después se pasa por un colador y se echa en una garrafa o una botella limpia.

16

Las almendras frenan el apetito

¿ALMENDRAS INHIBIDORAS DEL HAMBRE? ¿Es de verdad una buena idea? ¡Lo cierto es que contienen demasiada grasa y están eliminadas desde hace mucho tiempo de las recetas de las dietas! ¿O quizá no? Ciertos estudios han demostrado que las almendras pueden ayudar a organizar mucho mejor una dieta reducida en calorías. Siempre debes llevar encima un puñado de almendras peladas, el equivalente a una ración diaria, y mordisquear una si te aprieta el hambre. Es un magnífico truco para los que están mucho tiempo fuera de casa.

¡ES GRASA, **PERO PROVECHOSA!**

Durante muchos años los investigadores han constatado una y otra vez que las personas aficionadas a las almendras u otros frutos secos llegan a estar más delgadas que el resto, y eso a pesar de que tal hábito supone un aporte adicional de calorías. ¿Cómo puede ocurrir? Investigadores norteamericanos de la Universidad de Purdue demostraron en un estudio sobre mujeres con sobrepeso, que las personas incluidas en el test que tomaban cada día 344 calorías en forma de almendras, en total solo ingerirían 77 calorías diarias adicionales. Una gran parte de las calorías contenidas en las almendras, el 75 por ciento

por término medio, se compensaba de forma automática debido a que tales frutos oleaginosos reducen la sensación de hambre y los afectados experimentan sensación de saciedad. La firme estructura de las almendras impide además que el organismo digiera y asimile por completo la grasa contenida en ellas. Hay un resto que se elimina de forma sencilla.

> **Resumen:** las almendras sacian el hambre, aportan nutrientes imprescindibles y, además, reducen tu nivel de colesterol sin hacerte engordar.

¡Así hay que hacerlo!

■ **Compra** siempre almendras sin pelar. Procura que sean de una marca de calidad acreditada, sin importar que eso suponga que salgan un poco más caras: su sabor será más fresco y el envoltorio servirá para proteger el aroma y los nutrientes.

■ **Prueba** cómo te gustan más, si tostadas o crudas. Para que se tuesten basta colocarlas sobre una bandeja e introducirlas en un horno precalentado a 175 °C. Al cabo de 5 a 7 minutos comenzarán a emitir aroma y a dorarse un poco.

■ **Hazte con una lata pequeña** en la que quepa la cantidad adecuada y así no tendrás que medir una y otra vez la cantidad que vas a llevar contigo.

■ **Ración ideal:** un puñado de almendras pesa unos 30 g y aporta alrededor de 160 calorías. Los participantes de ese estudio de Purdue debían tomar, además de su dieta, unos 50 g de almendras. Prueba durante un tiempo la cantidad de almendras que necesitas para sentirte saciado y satisfecho.

17

La combustión de grasas es muy efectiva dentro del agua

¿QUEMAR MUCHAS CALORÍAS Y AL MISMO TIEMPO PROTEGER LAS ARTICULACIONES? No hay problema: lo mejor es que te entrenes dentro del agua: no te dediques solo a nadar, sino que procura practicar otras formas de ejercicio en el agua como pueden ser el *aquajogging* o el *aquafitness*. Incluso los que padecen un marcado sobrepeso disponen de entrenamientos en el agua con los que conseguir un acceso efectivo y sin problemas a los programas de *fitness*.

Las piscinas actuales ofrecen una variada oferta de actividades muy apropiadas. ¡Utiliza el programa completo y diviértete con la ingravidez que se experimenta dentro del agua!

UTILIZA LA FUERZA ASCENSIONAL DEL AGUA **PARA ADELGAZAR**

El ejercicio realizado en contra de la resistencia del agua sirve para activar los grandes grupos musculares y eso aporta, en comparación, un alto consumo de calorías. Está claro que no nos referimos a que chapotees o te relajes en la superficie del agua, sino a realizar actividades que te supongan un auténtico esfuerzo. Se puede conseguir nadando por los carriles, así como con una intensa gimnasia acuática (*aquapower*) o con el *aquajogging* con cinturón de flotabilidad en las zonas donde cubre el agua. El consumo de calorías es similar al de las actividades en tierra, como puede ser montar en bicicleta, el patinaje en línea o la marcha nórdica; pero puede ser superior si se practica con toda intensidad. La gran ventaja de ese entrenamiento se basa en la protección que experimentan las articulaciones debido a la resistencia que ofrece el agua. Incluso las personas con un fuerte sobrepeso pueden llevar a cabo un *fitness* básico en el agua sin correr ningún riesgo y luego pasarse a la tierra para deportes que supongan un esfuerzo mayor.

No olvides que en las piscinas suele resultar muy útil disponer de unas gafas que te protejan del cloro.

Nadar

Si prefieres nadar al estilo de braza, debes tratar de expulsar el aire, en la mayor medida que te sea posible, con la cabeza dentro del agua. Esto favorece las vértebras cervicales y lumbares, ya que se estiran menos y se curva con fuerza la espalda. Lo ideal es nadar a crol, aunque hay que disponer de unas buenas condiciones técnicas previas para aguantar el ejercicio durante media hora o más.

Aquajogging

Para realizar este deporte de *fitness*, que cada vez se ha hecho más popular, es necesario que dispongas de un cinturón especial de flotabilidad que te aporte el soporte necesario a fin de que al moverte en el agua puedas avanzar bien. Desde un primer momento el *aquajogging* es una práctica fatigosa, y eso obliga a que el entrenamiento se deba incrementar de forma muy paulatina y establecer pausas periódicas.

Aquapower

Casi todas las piscinas actuales ofrecen gimnasia de *fitness* en el agua. En ella se utilizan aparatos como pueden ser las mancuernas de agua y los manguitos para los pies. El ejercicio realizado contra la resistencia del agua sirve para activar el sistema cardiocirculatorio y el metabolismo y supone el fortalecimiento de todos los grandes grupos musculares.

18

Deshacerse por completo de los kilos que aparecen al dejar de fumar

ES UNA FAENA, Y ADEMÁS INJUSTO, pero no hay quien lo cambie: una de cada dos personas que dejan de fumar acaba por echarse encima unos cuantos kilos. La nicotina, esa auténtica droga social, hace que se eleven las revoluciones de tu metabolismo y al mismo tiempo frena el apetito. Sin los cigarrillos, el cuerpo quema al día un 15 por ciento menos de calorías que antes y, además, se desarrolla mayor apetito. Por suerte, las curvas resultantes desaparecen una vez que el metabolismo adquiere el hábito de no fumar, y de hecho lo hace casi por sí solo, solo hay que contar con un poco de paciencia. En consecuencia, el hecho de dejar fumar no tiene por qué conllevar de inmediato el comienzo de una dieta.

¡DEJAR DE FUMAR ADELGAZA!

¿No lo sabías? Pues sí, es cierto, ya que el humo echa a perder la cintura. De hecho, las fumadoras suelen contar con un contorno de cadera más reducido que el resto de las mujeres, pero a medida que pasa el tiempo almacenan cada vez más grasa en la zona central del cuerpo. Eso es algo que observaron los investigadores de la Universidad de Cambridge, en Reino Unido. Se comprobó que el metabolismo de azúcares y el efecto de la insulina pueden resultar afectados al fumar. La consecuencia de todo ello es que cuantos más cigarrillos se fumen, más te engorda el talle. Las primeras semanas después de dejar de fumar se suele engordar algo, pero eso se puede compensar con la práctica de algún deporte en esa fase. Después de algunos meses, como mucho al cabo de unos dos años, el metabolismo vuelve a regularse por completo. A partir de entonces resulta mucho más sencillo adelgazar y una vez que empiezan a desaparecer los kilos de más, los primeros en esfumarse son los que tenemos alrededor de la cintura.

Elevar de nuevo el consumo de energía

Una vez que se ha eliminado la nicotina, el organismo ahorra al día hasta 300 calorías de su mantenimiento básico. Para que no aumente el peso al principio del proceso, es necesario que, además, consumas en tu actividad diaria una mayor cantidad de calorías. Es pues muy importante que planifiques tu actividad física: deja el coche en casa si vas a hacer la compra, haz recorridos más largos con la bicicleta, trabaja con las plantas del jardín o bien ordena el trastero o el sótano.

Lo primero es esperar

¿Has engordado un poco? Si no han sido más que dos a tres kilos, no es preciso que hagas nada. En la mayoría de los ex fumadores al cabo de uno o dos años el peso se regula por sí solo sin que sea necesario intervenir de ninguna forma. Dale tiempo a tu organismo para que sea capaz de adaptar el metabolismo a la situación actual de independencia de la nicotina.

Consulta con el médico

¿Has engordado más de cinco kilos y al cabo de tres meses compruebas que la báscula del baño sigue para arriba? Se trata de un caso en que es muy probable que la adicción al tabaco haya dejado demasiada impronta en ti. Puede que algún medicamento te ayude a soportar mejor el síndrome de privación.

Alégrate con los éxitos

Seguro que te ha costado mucho dejar de fumar. Lo mejor es que te alegres y disfrutes de sus beneficios en lugar de disgustarte por unos pocos kilos de más. En muchas ocasiones lo que más engorda es el estrés.

19

Mantener la actividad en el puesto de trabajo: levantarse y caminar

EN UN TRABAJO DE LOS «NORMALES» NOS MANTENEMOS SENTADOS DURANTE MUCHO TIEMPO, al menos eso es lo que le sucede a la mayoría de nosotros, los que vivimos en el mundo laboral de oficinas. Dado que el ser humano está programado desde sus orígenes para ponerse en movimiento, el hecho de permanecer sentado durante mucho tiempo es muy perjudicial, tanto para el metabolismo como, sobre todo, para los discos intervertebrales. Por eso, lo mejor es que rompas la monotonía de estar sentada y te levantes siempre que puedas, camines y hagas pausas activas. El «efecto secundario» del adelgazamiento surge gracias al elevado consumo de calorías.

UTILIZAR LOS DISCOS INTERVERTEBRALES **DE MANERA ALTERNATIVA**

Nuestros discos intervertebrales viven del movimiento. Si permanecemos sentados durante mucho tiempo, pierden fluidez, espesor y flexibilidad. Esto afecta a largo plazo a su función amortiguadora entre los cuerpos vertebrales y puede provocar desagradables molestias de espalda. Sin embargo, siempre es posible remediar de forma sencilla el desgaste que sufren, pues, como ha demostrado una serie de estudios ergonómicos realizados en los lugares de trabajo, si se cambia de posición una y otra vez y se realizan breves pausas activas de 1 a 2 minutos, la espalda se relajará de una forma muy considerable.

Esas cortas pausas no acarrean ninguna pérdida de productividad, tal y como pudieran temer, en principio, los empresarios; por el contrario, favorecen la concentración y consiguen un mejor rendimiento laboral.

> **Resumen:** si te sirves de una forma regular de todos los consejos que exponemos en esta obra, te mantendrás concentrada, tendrás una espalda literalmente relajada y conseguirás incrementar tu consumo de calorías: todo esto irá a favor de tu figura.

Llamar por teléfono estando de pie

Para cambiar, las llamadas telefónicas se pueden realizar manteniéndose en pie. Esto incluso puede afectar de forma muy positiva al curso de la conversación: tu voz tendrá más énfasis y se incrementará tu capacidad de imponerte.

La pausa del café en mesas altas

Busca un lugar adecuado en el que poder tomar café con tus compañeros, pero sin sentarte. Esto estimula el sistema circulatorio y además supone un cambio que resulta muy bienvenido para los discos intervertebrales.

Paseos digestivos en la pausa del mediodía

Levántate de la mesa nada más terminar de comer y utiliza el tiempo que te quede libre para darte un paseo digestivo. De esa forma ayudas a tu metabolismo y, además, consumes calorías adicionales.

Kilómetros suplementarios de bonificación por moverte a pie

Utiliza cualquier posibilidad que te surja para realizar breves caminatas en la oficina. Ir hasta el fax, acercarte al despacho contiguo de un colega o subir por las escaleras; cada paso quema calorías y se ocupa de relajar la espalda.

Ejercicios de estiramiento para la compensación del estrés

Cuando la jornada laboral llega a su fin debes realizar algunos estiramientos. Se relajarán tus músculos y se disolverá toda la tensión acumulada a lo largo del día antes de que lleguen a producirse lesiones.

Bicicleta elíptica *crosstrainer* en lugar de ergómetro de bicicleta

Si después del trabajo te dedicas a entrenarte, ya sea en casa o en un gimnasio, también debes ser consciente del contraste que supone estar sentado. La práctica en un *crosstrainer* o un *stepper* es bastante más efectiva que el uso de un ergómetro de bicicleta.

20

Para que desaparezcan esos molestos kilos: elegir la dieta adecuada

MANTENERSE FIRME ES EL QUID DE LA CUESTIÓN: da igual que se ahorre en calorías grasas, se ingieran menos hidratos de carbono o más proteínas; cualquier concepto razonable de dieta puede ayudarte a adelgazar de forma mantenida en el tiempo. Decídete con total flexibilidad por el camino que te permita, de verdad, no cejar en el empeño. Busca, pues, la forma de alimentación que mejor se ajuste a ti y a tus hábitos de vida. Es importante la decisión de mantenerla durante el tiempo necesario hasta que hayan desaparecido todos los kilos que te sobran.

¡LAS DIETAS AYUDAN! SÍ, PERO ¿CUÁLES?

Las dietas efectivas deben, en principio, limitar la cantidad de calorías. La mayoría hacen publicidad de algunos «alimentos favoritos» y apuestan, como elemento clave para adelgazar, por más hidratos de carbono y albúmina o menos grasas. Lo que mejor sirve, a largo plazo, está basado en los resultados observados por investigadores que trabajaban por encargo de las autoridades sanitarias norteamericanas. A lo largo de dos años estudiaron, en un colectivo de 800 personas con sobrepeso, los efectos de cuatro conceptos distintos de dieta.

El resultado fue que tanto los programas reducidos en grasas como los ricos en carbohidratos y proteínas tenían como consecuencia la desaparición de kilos de más y la disminución del perímetro abdominal. Los científicos no encontraron grandes diferencias en cuanto a la efectividad de cada una de las dietas.

❯ **Resumen:** no importa la forma en que ahorres las calorías. Lo importante es mantener el método durante bastante tiempo.

La dieta ideal debería...

❯ ... ser adecuada para todos los días y ajustarse a los diversos estilos de vida individuales.

❯ ... producir una pérdida de peso de, poco más o menos, 500 g a la semana.

❯ ... resultar lo bastante equilibrada y agradable para que se pueda mantener durante bastante tiempo.

❯ ... ser capaz, en caso necesario, de normalizar los valores de la analítica (como, por ejemplo, los niveles de glúcidos y lípidos).

❯ ... influir a largo plazo en el estilo de vida propio en busca de un sistema favorable para la figura.

❯ ... aportar menos calorías y, sin embargo, todos los nutrientes que necesita el organismo.

❯ ... mantener el equilibrio de la alimentación, el ejercicio y la conducta.

❯ ... ofrecer una gran selección de alimentos en la que poder elegir.

❯ ... adecuarse a los gustos de cada cual y a sus posibilidades económicas.

❯ ... ayudar a controlar la situación de hambre que pudiera aparecer entre las comidas.

Comer más huevo

NO SON NADA PERJUDICIALES, SINO MUY SALUDABLES: seguro que te gustan esos pequeños paquetes de energía, porque siempre están a mano y se cocinan de forma muy rápida. ¿No tomas tantos como te apetecería porque has oído que su exceso puede resultar dañino para la salud? Incluso ahora, que escatimas todas las calorías posibles, puedes consumir unos cuantos más. Esos magníficos suministradores de vitaminas son muy sanos y bastante económicos si los comparas con otras fuentes de proteínas como el pescado o la carne.

UNA AYUDA IDEAL **PARA ADELGAZAR**

Despojarnos del placer de consumir huevos ha sido uno de los grandes fiascos que se puede atribuir a la ciencia internacional. Millones de personas de todo el mundo han renunciado a ellos al suponerse que eran auténticas bombas de colesterol nocivas para el corazón.
Sin embargo, los expertos han omitido la explicación del auténtico efecto que ejerce el colesterol en nuestro organismo.

> **Ahora sabemos más:** los huevos protegen el corazón y los vasos sanguíneos y, además, ayudan a adelgazar. En un estudio realizado en la Universidad de Luisiana, las personas que comieron huevos registraron, con una ingesta

similar de calorías, una mayor pérdida de peso que las que se abstenían de tomarlos.

> **El motivo:** los huevos de gallina elevan el nivel de adiponectina. Junto a otros neurotransmisores, esta hormona regula nuestra sensación de hambre y refuerza el efecto de la insulina en las células grasas.

> **Pero ya hace mucho tiempo que eso no es todo:** el huevo repara incluso los daños celulares que hayan podido sobrevenir a causa del sobrepeso. Se puede, pues, afirmar que los huevos son un magnífico alimento.

Una tortilla siempre viene bien, se puede saborear por las mañanas, al mediodía y por la noche.

Tortilla a las hierbas aromáticas con tomate

1 ración contiene:
22 g de proteínas | 16 g de grasas |
9 g de carbohidratos | 4,5 g de fibra |
277 de kcal | 1165 de kJ

Ingredientes para 1 ración

1 tomate (de unos 120 g)
½ manojo de cebollinos
1 puñado pequeño
de hojas de rúcula
2 huevos
½ cucharada de harina de soja
desgrasada (en comercios de
productos dietéticos)
3 cucharadas de leche desnatada
(1,5 por ciento)
Sal, pimienta
½ cucharadita de aceite vegetal
1 cucharada de maíz (de lata)

1 Lavar los tomates y cortarlos en trozos grandes, hacer rollitos con el cebollino y cortar la rúcula en trozos pequeños.

2 Los huevos se baten junto con la harina y la leche y se condimentan con sal y pimienta.

3 Echar un poco de aceite en una sartén y calentar. Incorporar la mezcla para la tortilla y espolvorear con las hierbas. Dejarlo cuajar de 2 a 3 minutos, pero permitiendo que la superficie quede algo líquida. Se coloca el tomate y el maíz en una de las mitades de la tortilla y se tapa con la otra mitad. Luego es necesario dejarlo cocinar durante 2 minutos más.

A MODO DE ACOMPAÑAMIENTO:
Se tuesta una rebanada de pan de centeno, luego se corta en tiras muy delgadas y se sirve acompañando la tortilla.

22

Estructurar los músculos en lugar de perderlos

LA MUSCULATURA ES EL LUGAR DONDE SE LOCALIZA LA COMBUSTIÓN DE LAS GRASAS. Cuanto mejor estén desarrollados tus músculos y más les exijas, mejor funcionará la quema de grasas. Sin embargo, lo que muchos olvidan es que, partir de los treinta años, las mujeres pierden cada diez años alrededor del 10 por ciento de su masa muscular; esa pérdida se puede cifrar en los hombres en un 5 por ciento. Con unos ejercicios que sirvan para estructurar la musculatura, se puede actuar contra la pérdida de nuestros «motores de combustión de las grasas». Así pues, deja que tus músculos trabajen en beneficio de tu figura.

MANTENER LO MÁS ELEVADO POSIBLE
EL VOLUMEN DEL METABOLISMO BASAL

El cálculo es bastante sencillo: un kilogramo de tejido muscular consume por sí mismo unas 30 kcal diarias de energía. El que, como ciudadano medio comprendido entre los treinta y los cuarenta años de edad, haya perdido de 3 a 4 kilogramos de masa muscular, habrá reducido su metabolismo basal en unas 100 kcal por día, lo que en números aproximados supone unas 36.500 kcal/año. Si no se modifica el aporte de energía en forma de alimentos, se produce un excedente de calorías que puede suponer unos 5 kilogramos de grasa (36.500 kcal / 7.000 kcal). A partir de esa pérdida de masa muscular condicionada por la edad también se puede explicar el motivo por el que, con el paso de los años, las personas engordan poco a poco sin comer más que antes.

> **La buena noticia:** esos cálculos también funcionan en sentido inverso. Quien consigue reducir esa pérdida de músculo, frenarla o incluso generar masa muscular adicional, tendrá mucho más fácil el control del peso que otra persona que se mantenga inactiva por completo. Cada uno dispone de esa posibilidad y lo puede hacer en cualquier momento: nuestro sistema muscular se puede entrenar incluso a edades avanzadas.

Panorámica de una efectiva estructuración muscular

❯ En primer lugar, lo que hay que entrenar son los grandes grupos musculares como, por ejemplo, la musculatura de las piernas, las caderas, el tronco y la cintura escapular. Los pequeños grupos musculares, como los bíceps de los brazos, están menos implicados en el consumo de energía y, como consecuencia, en las posibilidades de adelgazar.

❯ Hay que forzar la musculatura de forma que al cabo de 10 a 15 repeticiones del ejercicio se produzca el cansancio. Luego se debe incrementar el grado de dificultad para que ese cansancio comience ya entre las 8 a las 12 repeticiones. Es suficiente con realizar de dos a tres series por cada ejercicio.

❯ En cuanto a la estructuración de la musculatura, cabe decir que es mejor un entrenamiento más corto e intenso que uno prolongado y poco exigente.

❯ Es suficiente con dos a tres sesiones intensas a la semana.

◼ Bandas elásticas *Thera-band*: estas bandas que tienen un precio bastante reducido están disponibles con diversas resistencias. Con ellas puedes entrenar todos los grandes grupos musculares. Son perfectas para iniciarse en el entrenamiento y para llevar en los viajes.

◼ *Gymstick*: esta barra de fibra de vidrio con dos tubos elásticos ofrece, si se la compara con las *Thera-band*, un mayor confort en el entrenamiento así como una resistencia bastante más elevada. Es ideal para entrenar la parte superior del cuerpo.

◼ Balón Pezzi: es el aparato más efectivo para entrenar la musculatura dorsal y abdominal.

◼ *Balance Board*: este tablero oscilante proporciona más estabilidad a los músculos de las piernas. Como, en paralelo, también se practica el equilibrio, supone un entrenamiento muy efectivo para la prevención de las caídas (¡muy importante en la osteoporosis!).

23

Buscar un «preparador» personal

EL MEJOR REGALO que le puede hacer una persona a otra es su presencia. Por lo tanto, busca a alguien que te acompañe a lo largo del camino que te llevará a conseguir el peso ideal, que te ayude a superar todos los impedimentos o, en caso necesario, sea capaz de modificar tus costumbres y puntos de vista. Incluso aunque los obstáculos que encontremos a la hora de perder kilos vayan a ser pequeños, nada impide que nos lleguen a atormentar. En esos casos, puede bastar una conversación con una persona de confianza que nos ayude a reducir nuestros problemas e incluso a hacer que se esfumen por completo.

UN ASISTENTE PARA CONSEGUIR **LA FIGURA IDEAL**

Un acompañante de nuestra total confianza suele ser decisivo para conseguir el éxito, sobre todo si el proyecto de adelgazar tiene que ser mantenido durante un tiempo bastante largo. Un amigo íntimo o un miembro de tu familia se mostrará demasiado cercano a ti y no será capaz de emitir con calma una opinión objetiva. La mayoría de las veces es mejor que ese papel de apoyo lo desempeñe una persona que sea «neutral». Está claro que no tiene por qué ser un experto. Es suficiente con que haga suyo tu objetivo de adelgazar, que celebre tus éxitos y que, además, te motive para continuar aunque las cosas se pongan complicadas.

Las personas amables a las que pidas esta ayuda se sentirán halagadas por la confianza que depositas en ellas y lo más seguro es que acepten. De todas formas, ese trabajo de acompañante de dieta no suele exigir demasiado tiempo.
El ayudante ideal...
> es alguien a quien se debe apreciar como ser humano y ha de ser de tu mismo nivel personal;
> siente un elevado interés hacia ti y por tus problemas con la figura;
> no quiere avergonzarte ni tenerte bajo su tutela; se limita a darte ánimos y a apoyarte si te ataca el mal humor o el miedo.

Así funciona el trabajo de preparación

Todas las semanas debes mantener con el preparador una conversación muy detallada, ya sea en persona o por teléfono. Lo más adecuado sería planear unas citas fijas que se adapten a las posibilidades comunes de horario, por ejemplo, los domingos al mediodía o cada martes antes de las nueve de la mañana.

Si las citas son diarias y a una hora determinada, lo mejor es quedar 5 minutos antes del entrenamiento y realizar un intercambio de impresiones sobre cómo marcharon las cosas el día anterior. A veces puede ser necesaria una reunión muy detallada.

Lo más sencillo para gente que dispone de poco tiempo es un correo electrónico diario, o bien un mensaje de texto en el móvil. Esos mensajes cortos son ideales cuando han surgido cambios en el comportamiento y deseas compartir lo que has hecho.

Algo parecido a:

«¿Sin tele a la hora de la comida? – Ayer lo conseguí.»

«¿Has ido a pie a la oficina? – Claro, e incluso he regresado a casa andando.»

«¿Has escrito la lista de la compra y te has atenido a ella? – Sí, pero a pesar de eso he comprado chocolate, ¡snif!» – «Vale, pero cómetelo despacio.»

Además de todo, también deberías llevar un breve diario en el que apuntar tus éxitos al adelgazar.

Desterrar durante un tiempo las revistas ilustradas

MODELOS ERRÓNEOS: ¿te gusta mirar en las revistas femeninas y de moda las fotografías de estrellas y modelos? Por supuesto, pues es algo que resulta divertido y relajante. Pero después puedes llegar a pensar: «Sí, ése el aspecto que me gustaría tener». ¿Estás en constante pelea con tu cuerpo y evitas las miradas al espejo debido a que supones que tus redondeces excesivas te hacen poco atractiva? ¡No debes dejarte influir por el mundo del pop y el cine! Lo mejor es dejar de lado durante un tiempo ese universo de estrellas y modelos; es una forma de conseguir que el proceso de adelgazar te resulte más sencillo.

EL MERO HECHO DE ADELGAZAR
NO APORTA POR SÍ SOLO LA FELICIDAD

No existe casi ninguna persona que se muestre satisfecha con su cuerpo, ni siquiera las delgadas. No es extraño, puesto que por lo general nos dejamos guiar por unas modelos extremadamente flacas, maniquíes muy bien maquilladas cuyas fotos incluso han sido retocadas de forma exagerada. Las historias que se plasman en las revistas ofrecen una imagen idealizada de unas jóvenes que no existen en el mundo real.

En todas las fotografías, las estrellas y los modelos parecen perfectos e irradian felicidad, aunque la mayoría de las veces puede ocurrir todo lo contrario. Es algo que han comprobado los investigadores de la Universidad de Texas, en Austin. Prepararon un experimento en el que intervinieron 91 modelos y otras tantas mujeres de vida normal y corriente, todas con edades comprendidas entre los dieciocho y los treinta y cinco años. Resultado: las mujeres superguapas no eran más felices que las otras. En los ámbitos de la satisfacción, la felicidad y la salud física, las modelos incluso estaban por debajo de las ciudadanas normales. Por lo tanto, existen pocos motivos para intentar compararse con ellas y emularlas. Más bien al contrario: quien saca muchos defectos a su físico, pierde mucho la conciencia de su propia valía y cae de inmediato en la práctica de dietas extremas o el consumo de píldoras milagrosas.

¡Esto es lo que te hace bella de verdad!

Observar de forma escrupulosa: es necesario mantenerse a cierta distancia interior de las bellezas que aparecen en los medios de comunicación y ser consciente de todo el equipo de maquilladores y especialistas en el retoque de fotografías que han sido necesarios para conseguir esas bellezas irreales.

Mi cuerpo está estupendo: deja de criticarte a todas horas. A partir de este momento debes comenzar a mantener una relación de amor hacia tu cuerpo y tu aspecto; no te desplaces a ti misma por el mero hecho de estar a la espera de alcanzar el peso «perfecto». La vida es demasiado corta para eso.

¡Come de forma más saludable! Aunque parezca un tanto aburrido, es necesario que le des una «pequeña vuelta de tuerca» a tus hábitos alimentarios y hacer de esa forma que los kilos desaparezcan con el tiempo, de forma lenta pero segura.

¡Lánzate a volar! El ejercicio provoca una buena sensación física y cada sesión de entrenamiento servirá para incrementar la conciencia de tu propia valía. De esa forma volverás a encontrarte muy satisfecha de tu cuerpo y, al mismo tiempo, disolverás los kilos sobrantes.

25

Beber con alegría: es mucho mejor el té verde que el vino tinto

BEBER PARA LA FIGURA: ambas bebidas, el té y el vino, forman parte de los más apreciados estimulantes que existen en el mundo y, además, aportan unos componentes muy beneficiosos.

En lo que se refiere a adelgazar, el té es bastante preferible al vino. El alcohol engorda y además mina todos nuestros buenos propósitos. En cambio, el té verde no tiene calorías, por lo que nos ayuda a la hora de adelgazar. Haz como los habitantes de China y bebe té verde mientras comes.

A LA LARGA, CUALQUIER CALORÍA CUENTA

Quien quiera acabar de prisa y de forma sencilla con una barriga redonda, lo mejor que puede hacer es conseguir algunos paquetes de té verde y prepararse unas cuantas tazas diarias. Una serie de estudios a nivel mundial ha demostrado que esta bebida no calórica aporta, a la larga, dos importantes ventajas:

> Por una parte, ese aromático líquido es un inhibidor del apetito.

> Por otra parte provoca un pequeño, pero claro, incremento del metabolismo energético, alrededor del 4 por ciento.

Esto puede parecer muy escaso, pero si se repite un día tras otro, los resultados son perceptibles. Además, el té contribuye a reducir la grasa abdominal.

Por desgracia, el efecto del vino es muy opuesto a eso: el cerebro, en lugar de la glucosa habitual, utiliza un producto contenido en el alcohol para obtener energía. De esa forma, las calorías ahorradas se depositan en la zona central del cuerpo y acaban por hacerse patentes de forma muy marcada.

¡Así te puedes aficionar!

El buen té verde tiene un sabor refrescante que, según la variedad, puede ser afrutado o floral, de una delicada dulzura y al mismo tiempo algo amargo. Puesto que no ha fermentado, como ocurre con el té negro, debe ser preparado de otra forma. Ésta es la mejor forma de extraer sus suaves aromas:

> Para 1 l de agua se deben usar de 10 a 12 g de té chino; si es japonés se utilizarán de 10 a 20 g.

> El té nunca se debe preparar con agua en plena ebullición. Deja enfriar el agua durante un breve instante. Para que llegue a los 80 °C necesita unos 5 minutos y para acercarse a los 60 °C, un poco más de tiempo.

> Después de haber preparado un té suave, se debe dejar reposar 1,5 minutos; si la variedad es algo más fuerte, habrá que esperar entre 2 y 3 minutos.

> No hay que tirar las bolsitas de té, sino que se deben reutilizar varias veces. Prueba en cuál de los usos obtienes el que resulta más agradable para tu gusto. La segunda y tercera infusión deben reposar medio minuto menos y la cuarta y la quinta otro medio minuto, pero ahora de más.

> Este té no solo debe echarse en una tetera precalentada, sino que también debe saborearse en una taza que se haya calentado con anterioridad. Dado que no se prepara con un agua tan caliente como el té negro, mantiene mucho mejor la temperatura.

26

Un presupuesto de calorías para conseguir una buena figura

¿SABES LA CANTIDAD QUE DEBES COMER sin ganar peso? ¿No? La verdad es que no resulta extraño, pues los requerimientos de energía son muy distintos y dependen de cada persona. Es algo que solo pueden evaluar los expertos mediante un despliegue de alta tecnología. Pero nuestro día a día es suficiente con un cálculo sencillo para averiguar cuántas calorías quemamos.

PRIMERO COMPRUEBA TUS NECESIDADES
Y LUEGO AHORRA CALORÍAS

Estudios recientes muestran que el metabolismo energético no depende demasiado del peso, sino en parte del tejido corporal que quema de forma activa las calorías, es decir, músculos y órganos; además, existe la influencia de otros factores como pueden ser el sexo, la edad y el estado de salud. Las personas con una elevada participación muscular tienen mayor consumo de calorías que las que cuentan con mayor proporción de grasa. Y esto se debe a que los michelines, esas almohadillas de grasa, apenas consumen energía.

Para adelgazar debes comenzar con una reducción de calorías. Un ejemplo de cálculo: quien, ayudándose de los datos que aparecen en la página siguiente, haya calculado una necesidad de 2.100 calorías y deba sustraer

unas 500, dispondrá de un presupuesto de 1.600 calorías al día. En este cálculo aproximado no tienen ninguna importancia una oscilación de 10 calorías arriba o abajo. La persona sometida al test puede, por lo tanto, planear para la mañana, al mediodía y por la noche una comida de 400 calorías y servirse de las 400 restantes para disfrutarlas en forma de comidas entre horas.

Tienes que pesarte una vez a la semana. Anota la fecha y el peso. Si observas de forma persistente que adelgazas más de 500 g a la semana, debes tomar nota de que comes poco y debes incrementar tu presupuesto de calorías. Si has adelgazado menos de 500 g, debes ser más tacaña en las calorías adicionales o tener un poco más de paciencia.

Tipo 1 **Sedentario**

Las personas de hábitos tranquilos de vida, que pasan mucho tiempo tumbadas o sentadas y casi no salen de casa, deben contar con **29 calorías** por kilogramo de peso corporal.

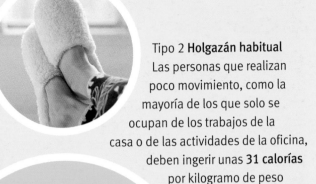

Tipo 2 **Holgazán habitual**

Las personas que realizan poco movimiento, como la mayoría de los que solo se ocupan de los trabajos de la casa o de las actividades de la oficina, deben ingerir unas **31 calorías** por kilogramo de peso corporal.

¿Cuántas calorías necesito?

Tienes que hacer un cálculo muy sencillo: si eres del tipo «holgazán habitual» y pesas unos 60 kilos: 31 x 60 = 1.860 kcal. Ésta es tu necesidad de calorías. Si quieres adelgazar deberás reducir de 200 a 500 calorías.

Tipo 4 **Deportista e rendimiento o gente on trabajos duros**

e entrenan a diario con n deporte muy exigente soportan un fuerte esfuerzo ísico. Se debe calcular nas **39 calorías** más por cada ilogramo de peso orporal.

Tipo 3 **Activo de fin de semana**

Si solo realizas ejercicio físico durante el fin de semana, por ejemplo, trabajo en el jardín o deportes de ocio, te corresponden **33 calorías** por kilogramo de peso corporal.

Tipo 4 **Deportista comprometido de tiempo libre**

Si al menos realizas unas 3 veces a la semana una actividad física intensa, puede ser un entrenamiento deportivo, debes pensar en **37 calorías** por kilogramo de peso corporal.

27

Entrenarse en un gimnasio de *fitness* «adecuado»

PRIMERO HAZ UNA PRUEBA Y LUEGO APÚNTATE: en la actualidad en cualquier país existe una gran cantidad de gimnasios a los que acuden cada vez mayor número de personas. Pero a pesar de que son muchos los establecimientos (o quizá por eso) es difícil localizar cuál es el más adecuado para entrar en él. Para muchos, las ofertas son incomprensibles y poco honestas. Y no hay que descartar los casos de inconvenientes o experiencias previas negativas. Pero también existen un montón de buenos gimnasios. Nuestra lista de chequeo te servirá de ayuda para encontrar el que te resulte más adecuado.

LAS VENTAJAS DE UN BUEN GIMNASIO

Si acudes a un gimnasio dispondrás de un servicio de atención dedicado al tema del *fitness*. Además, la cuota que debas pagar te obligará a acudir con la mayor asiduidad posible y, en consecuencia, a hacer algo de deporte en favor de tu figura y tu resistencia física. Sin embargo, entre los asistentes a un gimnasio también existe una gran cantidad de «desaparecidos en combate» o, dicho de una forma mucho más educada, «miembros nominales». ¿Cómo puede ocurrir?

Por una parte es posible que, como siempre ha ocurrido, domine la abulia interior. Por otra parte existe una gran cantidad de motivos específicos que hacen que muchos se abstengan de asistir al gimnasio. Como muestran las experiencias, muchos de esos motivos están relacionados con la pereza: si es demasiado largo el tiempo que necesitamos para llegar hasta el gimnasio, es muy probable que disminuya la asiduidad de la asistencia. Por supuesto, también es muy importante que uno se sienta bien allí, que tenga confianza y que, además, la oferta se corresponda con nuestras expectativas. Una sesión inicial nos puede ayudar a probar y eso es algo que ofrecen todos los gimnasios acreditados.

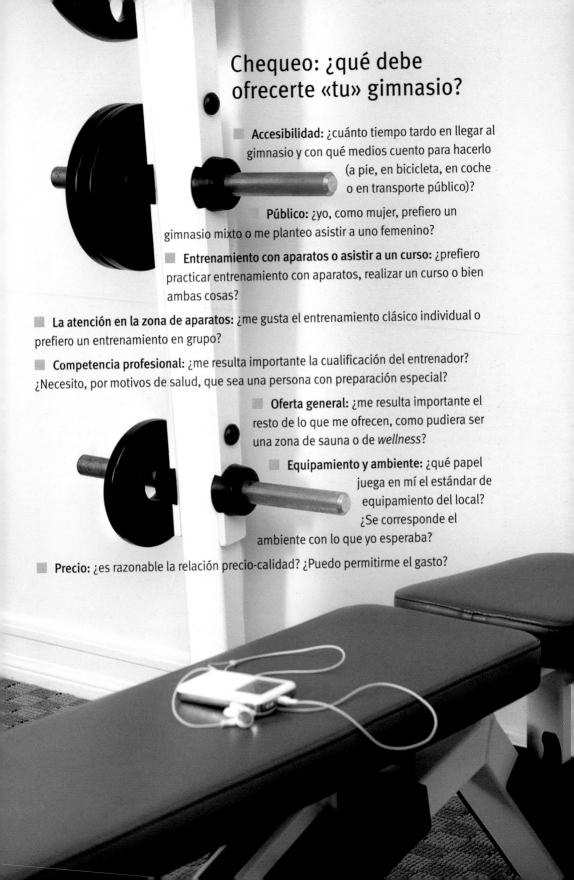

Chequeo: ¿qué debe ofrecerte «tu» gimnasio?

Accesibilidad: ¿cuánto tiempo tardo en llegar al gimnasio y con qué medios cuento para hacerlo (a pie, en bicicleta, en coche o en transporte público)?

Público: ¿yo, como mujer, prefiero un gimnasio mixto o me planteo asistir a uno femenino?

Entrenamiento con aparatos o asistir a un curso: ¿prefiero practicar entrenamiento con aparatos, realizar un curso o bien ambas cosas?

La atención en la zona de aparatos: ¿me gusta el entrenamiento clásico individual o prefiero un entrenamiento en grupo?

Competencia profesional: ¿me resulta importante la cualificación del entrenador? ¿Necesito, por motivos de salud, que sea una persona con preparación especial?

Oferta general: ¿me resulta importante el resto de lo que me ofrecen, como pudiera ser una zona de sauna o de *wellness*?

Equipamiento y ambiente: ¿qué papel juega en mí el estándar de equipamiento del local? ¿Se corresponde el ambiente con lo que yo esperaba?

Precio: ¿es razonable la relación precio-calidad? ¿Puedo permitirme el gasto?

Comer más sopa

RÁPIDO Y DELICADO: después de un largo día en el trabajo, seguro que te apetece relajarte y comer alguna sabrosa pequeñez cuya preparación no te lleve demasiado tiempo. Los bocadillos resultan demasiado aburridos. En cambio, una sopa, que se hace en seguida, satisface al paladar más delicado, y un consomé claro y bien especiado sirve para aplacar el hambre inicial. Además, te puedes relajar y degustarlo con fruición a cucharadas lentas y sabrosas hasta que el estómago te avise de que ya está saciado.

LOS AFICIONADOS A LA SOPA SE SACIAN DE INMEDIATO

El motivo por el que una simple sopa te hace ahorrar calorías es una circunstancia que han investigado expertos franceses y norteamericanos del ámbito de la «saciedad». Encontraron muchos y muy distintos estímulos en la zona de la boca, el estómago y el intestino. El estómago, a causa del volumen de la sopa caliente, se dilata claramente y retiene su contenido durante un tiempo más largo. Cuanto más tarde en vaciarse el estómago, durante más tiempo experimentaremos la sensación de saciedad. Esto se debe a los sensores de dilatación existentes en el estómago. Además, influye la concentración de la hormona grelina, que provoca el apetito. Si se eleva tal concentración, el cerebro desencadena la sensación de hambre. Una vez que se ha saciado el estómago, se produce menos grelina.

Los estudios han demostrado que una sopa con trozos de verdura mantiene la sensación de saciedad durante más tiempo que la misma cantidad de verdura cocida con un vaso de agua o hecha puré. De hecho las calorías son siempre las mismas, y lo que varía es el efecto de saciedad. ¿Por qué ocurre? Los trozos de verdura producen más dilatación gástrica y el caldo, rico en sustancias minerales, retrasa el vaciado del estómago.

> **Resumen:** si tomas una sopa de verdura como primer plato, por término medio disminuirá de forma sensible la asimilación de calorías durante el resto de la comida.

Verdura crujiente y un buen caldo; en un instante tendrás sobre la mesa un sabroso y colorido plato que te dejará saciada.

Sopa asiática con pechuga de pollo

1 ración contiene:
26 g de proteínas | 2 g de grasas |
13 g de carbohidratos | 8 g de fibra |
182 de kcal | 760 de kJ

Ingredientes para 2 raciones

5 setas *mu-err* deshidratadas
(también se las conoce
como «orejas de Judas»)
1,5 litro de caldo de carne o verduras
650 g de verduras mezcladas
150 g de pechuga de pollo
1 trozo pequeño de jengibre fresco
½ guindilla seca
1-2 cucharadas de zumo de limón
2-3 cucharadas de salsa de soja
Un poco de cilantro

1 Pon a remojo las setas durante 10 minutos en el caldo frío hasta que se esponjen. Mientras tanto, limpia las verduras y córtalas en pedazos de un tamaño adecuado para meter en la boca, pero no demasiado pequeños. Pela el jengibre y córtalo en lonchas muy finas.

2 Echa en el caldo el jengibre, los trozos de verdura, la carne y la guindilla y deja cocinar de 5 a 8 minutos.

3 Adereza la sopa ya cocinada con el zumo de limón y la salsa de soja y sírvela decorada con el cilantro.

VERDURA DE TEMPORADA: A la hora de hacer una sopa de verduras hay que preferir la que sea de temporada y proceda de la región en la que vives. Será bastante más fresca y sabrosa.

29

No te dejes seducir por la nariz

ENGORDADORES DE INCÓGNITO: ¿eres de las que siempre lees en el supermercado la letra pequeña para ver cuántas calorías se esconden en el paquete y por ese motivo hay productos que nunca van a parar a tu carro de la compra? Sin embargo, de repente te sientes atraída por el maravilloso olor que sale del horno y te encuentras con una bolsa de bollos en la mano. Antes de decidirte a comprarla deberías conocer la cantidad de calorías que hay dentro de una de esas bolsas.

AZÚCAR Y GRASAS EN LA TRASTIENDA

El que come fuera suele ingerir más calorías que quienes lo hacen en casa. Eso es lo que señalan los resultados del estudio EPIC (*European Prospective Investigation into Cancer and Nutrition*, Estudio prospectivo europeo sobre el tema del cáncer y la nutrición). Los pasteles y las golosinas son los favoritos para comer fuera de casa. Un cruasán de chocolate para el desayuno, al mediodía una *baguette* rellena, a la hora del café una caracola de manzana y canela y por la tarde, de vuelta a casa, pan con jamón y queso. Suma y sigue: ¡2720 calorías! Y además se tiene la sensación de haber comido muy poca cosa.

Seguro que la mayoría de nosotros compraríamos mucho menos si en los carteles del precio viniera indicado el contenido de calorías de cada producto. En los bollos no suele haber otra cosa que grasas y azúcares, además son enormes, más grandes que nunca. En las pastelerías venden raciones de tarta que pueden alcanzar hasta los 250 g de peso. Estas calorías solo las necesitaría una persona que realizara un trabajo físico notable y penoso y, además, supondrían el contenido de una comida principal. ¡El resto de los seres humanos nos podemos apañar muy bien con la mitad!

> **Resumen:** si pasas cerca de una pastelería que despide un olor fascinante, lo mejor que puedes hacer es cruzar de inmediato a la otra acera.

Un buen cambio:
¡menos grasa, menos
cantidad de calorías!

PRODUCTOS GRASOS	LIGERO Y DELICIOSO	AHORRO
Cruasán de chocolate, 100 g 515 cal / 33 g de grasa	Pan de pasas, 55 g 150 cal / 1 g de grasa	365 cal / 32 g de grasa
Mini *baguette* rellena de queso y mortadela, 260 g 40 cal / 50 g de grasa	Pan integral con huevo y tomate, 200 g 275 cal / 15 g de grasa	465 cal / 35 g de grasa
Caracola de manzana y canela, 240 g 945 cal / 50 g de grasa	Torta de galleta con cobertura de fruta, 100 g 160 cal / 2 g de grasa	785 cal / 48 g de grasa
Pan al horno con queso y jamón, 150 g 520 cal / 25 g de grasa	Plato pequeño de espaguetis con salsa de tomate, 250 g 300 calorías / 5 g de grasa	220 cal / 20 g de grasa

30

Entrenamiento sincronizado con ritmo

NO SUCEDE DURANTE EL ESFUERZO, como piensan muchas personas, sino que es en la fase de recuperación cuando aparece el verdadero efecto del entrenamiento. Por lo tanto, lo más importante a la hora del entrenamiento es disponer de un ritmo adecuado de ejercicio y posterior descanso. Si entrenas de forma intensiva, para el día siguiente deberás planificar unos contenidos de trabajo que sean más cortos o distintos y menos agotadores. Con este saludable juego de cambios entre el esfuerzo y el descanso, alcanzarás como efecto óptimo un cuerpo bello.

ÓPTIMO: ENTRENAMIENTO DE RESISTENCIA PLANIFICADO

Cada sesión de entrenamiento intensivo provoca que el cuerpo vacíe de momento y de una sola vez sus depósitos de energía que, a continuación, se repondrán por la noche. Las exigencias del entrenamiento hacen que tu organismo reciba la señal de que debe incrementar su «saldo» para la próxima vez, con lo que tus almacenes energéticos se rellenan por encima de su estado inicial y llegan casi a los «límites de su crédito». Este proceso tarda cierto tiempo en tener lugar, por lo que entre cada dos sesiones de entrenamiento debes dejar una pausa de uno o dos días. Llegarás a la siguiente sesión con mejor estado de energía, lo que significa una preparación más adecuada. Este principio es conocido como «supercompensación» en el ámbito de las ciencias del deporte.

Si mantienes tal ritmo notarás poco a poco la mejoría. Es importante que tengas en cuenta que el sueño también forma parte de todo este proceso: hay que dormir bien.

> **A la inversa:** un entrenamiento intensivo diario no es útil, pues tus depósitos de energía no habrán sido capaces de conseguir una regeneración suficiente con lo que, a pesar del entrenamiento, podría ocurrir que el entrenamiento fuera a peor.

Una eficiente gestión del tiempo (*timing*) para conseguir resistencia

■ El entrenamiento de resistencia debes llevarlo a cabo, en la medida de lo posible, durante tres veces a la semana.

■ Tendrás que repartir por igual las sesiones de entrenamiento entre los días de la semana.

■ Debes evitar un entrenamiento de resistencia demasiado agotador dos días seguidos.

■ También es posible que realices a diario un entrenamiento suave.

■ Si combinas el entrenamiento de musculación con el de resistencia, lo mejor es que los practiques en días alternos.

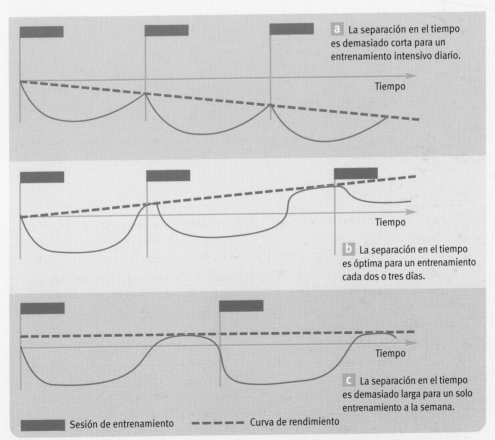

a La separación en el tiempo es demasiado corta para un entrenamiento intensivo diario.

Tiempo

b La separación en el tiempo es óptima para un entrenamiento cada dos o tres días.

Tiempo

c La separación en el tiempo es demasiado larga para un solo entrenamiento a la semana.

Tiempo

■ Sesión de entrenamiento ▪ ▪ ▪ Curva de rendimiento

Con el entrenamiento intensivo se reducen los almacenes de energía del cuerpo. Suelen tardar un día en volver a llenarse y estar preparados de forma óptima para su siguiente utilización. En los dos días siguientes debe tener lugar el próximo estímulo de entrenamiento para aprovechar ese estado óptimo y, de esa forma, conseguir el deseado efecto de mejora.

31

Dress for success o cómo sentirse con 5 kilos menos

AL MIRARTE EN EL ESPEJO buscas tu autoafirmación y, al mismo tiempo, te comparas con los estándares establecidos. Nos guste o no nos guste, queramos o no, lo que digan los demás tiene gran influencia en el sentido de nuestra autoestima. Pero el que seas demasiado delgada, completamente normal o demasiado gordita es, además de un tema de la balanza y el IMC, una cuestión de opiniones. Es el caso de las chicas jóvenes, en las que la delgadez es sinónimo de sentirse más agradable y aceptada. Para eso también sirve de ayuda un *look* elegante y chic. La que se cuida y tiene buen estilo, siempre recibe halagos que incrementan la conciencia de la propia valía y su alegría vital. La consecuencia es que los kilos desaparecen con más facilidad.

NO HAY QUE HACER LA VISTA GORDA

El significado de su atractivo físico es algo que las chicas aprenden desde la niñez. Por ello les puede resultar bastante complicado mirarse con indulgencia y agrado, y eso por el mero hecho de tener un par de kilos más que una modelo. Hay ocasiones en que esas jóvenes reaccionan de forma exagerada ante la redondez de sus muslos o por los michelines que se forman en los costados de los vaqueros al sentarse. Una relación demasiado crítica con el propio cuerpo puede desembocar en dietas extremas que son una pieza básica para provocar trastornos alimentarios y auténticos problemas de salud. La que quiera adelgazar a largo plazo debe mantener una relación afable y sana con su propio cuerpo. Además, debe descartar el tener ocupada su mente de forma ininterrumpida con el tema de «lo que puedo comer y lo que no», pues tal posición trastorna los mecanismos de saciedad naturales que emite el cerebro.

Sentirse bien con las redondeces

Está claro que con un par de kilos menos te sentirías mucho mejor. Hasta que consigas ese objetivo, puedes poner en práctica alguna que otra trampa visual.

Así se hace:

■ No compres la ropa en grandes superficies, en su lugar hazlo en comercios especializados con una atmósfera amable y desenvuelta y cuyas vendedoras tengan tu misma edad. De esa forma te resultará mucho más sencillo conseguir un asesoramiento objetivo.

■ Utiliza de forma estratégica tanto los colores como los materiales. Acentúa tus zonas más agradables con colores claros y disimula las menos agraciadas con tonalidades más oscuras.

■ Unos cortes estratégicos y unos tejidos vaporosos harán desaparecer de la vista tus kilos de más.

■ A pesar de encontrarte en pleno proceso de adelgazamiento, no te compres nada estrecho que te quede demasiado ajustado. Eso te hará parecer mucho más rolliza. En caso de duda, lo mejor es elegir una talla más y sentirte mucho mejor.

■ Las formas barrocas irradian voluptuosidad y una deliciosa sensualidad. Subraya esas ventajas con

una ropa interior fantástica: un buen sujetador que te siente a la perfección te dará un aspecto muy elegante y hará que te sientas mucho más bella.

32

Fuera el estrés, fuera la grasa: hay que tomarse las cosas con calma

ADELGAZAR A PESAR DEL ESTRÉS: la mayoría de nosotros nos movemos en un bucle del que resulta muy difícil escapar. En lo que se refiere a este punto, solo cabe decir que engordar nos hace infelices y que la infelicidad engorda. Sin embargo, la proverbial gordura causada por la aflicción se presenta si una persona se siente sometida a una elevada presión anímica durante un tiempo bastante prolongado. Quien quiera adelgazar con tranquilidad deberá procurar mantener la relajación.

CALORÍAS CONTRA EL EXCESO DE EXIGENCIA

Los psicólogos afirman que, en muchos casos, el sobrepeso viene condicionado por el mero estrés. Lo más seguro es que quien engorda a causa de un exceso de exigencia tenga sobre él algún otro tipo de problema. De hecho, el estrés laboral aumenta a causa del tráfico que se tiene que soportar al ir en el coche, a la gran cantidad de correos electrónicos o a las continuas llamadas telefónicas y de móviles. Bajo la influencia del miedo y la presión, es decir, en caso de emergencia, el cuerpo segrega la hormona del estrés. La forma en la que cada persona reacciona ante estos neurotransmisores depende en gran medida de su disposición genética. Algunas personas (aunque no todas) engordan a causa de un estrés duradero. Su cuerpo transforma en cortisona el «inocuo» cortisol producido como elemento de protección para los casos de cargas prolongadas de estrés. La cortisona, utilizada en medicina como un remedio muy efectivo, puede provocar en muy poco tiempo el desequilibrio del metabolismo de los azúcares. Una sola semana de un exceso de estrés es capaz de producir, en el peor de los casos, que todo se vuelva incontrolable. Los músculos echarán de menos la energía a pesar de que haya suficiente azúcar en la sangre. Otro inconveniente más: la cortisona estimula el apetito hacia los dulces y las grasas.

La forma de interrumpir la espiral estrés-comer

■ **Consumir más alimentos frescos**

Cuando aumentan los niveles de estrés puede ocurrir que, entre las vitaminas del grupo B, el ácido fólico sea demasiado escaso. Las comidas frescas cocinadas de forma equilibrada se han convertido en un producto escaso y, en lugar de eso, recurrimos a los platos rápidos y las golosinas. Si alguien es capaz de hacer un esfuerzo para volver a tomar más fruta y verdura, debe contar con la seguridad de que al cabo de pocos días se sentirá mucho mejor y pronto volverá a la altura de las exigencias del día a día.

■ **Evitar la cafeína:**
es un amplificador del estrés

Las bebidas que contienen cafeína hacen las cosas aún más difíciles. El que espera adelgazar tomando café y refrescos de cola, lo único que consigue con esas bebidas excitantes es justo lo contrario.
Se incrementa el efecto de la hormona del estrés y se inhibe la recuperación, pues la cafeína reduce la necesidad de sueño.

■ **Buscar ayuda**

¡En plena vorágine de una fase de estrés no se puede comenzar jamás una dieta! Existe otro camino mejor para adelgazar: un entrenamiento antiestrés. En algunos lugares se imparten seminarios que nos pueden ayudar para los casos de agotamiento o de exceso de exigencia.

Ponerse en marcha siguiendo un plan y un sistema

¿QUIERES, POR FIN, CUMPLIR TUS BUENOS PROPÓSITOS
y hacer deporte de forma regular? ¡Nuestra más cordial enhorabuena!
Para que todo funcione a la perfección, lo mejor es realizar un plan
detallado en el que también deben constar todos los «síes»
y los «peros», es decir, las condiciones y las objeciones.
De esa forma se cimentará el programa de ejercicios en tu
quehacer cotidiano y te resultará más sencillo modificar tu estilo
de vida para guiarlo a una eficaz lucha contra la falta de
voluntad interior.

ALCANZAR EL ÉXITO CON EL PLAN «SI..., ENTONCES...»

¿Qué objetivo de adelgazamiento es realista para mí? ¿Qué hago una vez que haya adelgazado los tres primeros kilos? ¿Cómo reacciono si no consigo lo que quiero y lo único que me gustaría es darme de tortas? ¿Quién puede ayudarme a conseguir mis objetivos? ¿Cómo debo tratar a las personas que no se toman en serio mis proyectos o que intentan entorpecerlos? Cuanto más concretas, constructivas y seguras sean tus respuestas, mayor será la probabilidad de que resistas y no te desvíes de tu camino. Eso es algo que

corroboran numerosos estudios realizados tanto con pacientes con diversos problemas de salud como con personas que quieren sacar provecho con el ejercicio practicado de forma regular, pero que hasta ahora han tenido dificultades a largo plazo para conseguirlo. Si te has mantenido inactiva durante mucho tiempo, debes prever un tiempo suficiente para tu proyecto de adelgazamiento. Las modificaciones de comportamiento precisan paciencia, tenacidad y, además, tener a la vista un objetivo claro.

Los siete pasos para conseguir el éxito en tu objetivo

1 Define el objetivo
> ¿Cuánto quieres adelgazar a lo largo de los próximos 3, 6, 9 y 12 meses?

2 Búscate un apoyo
> ¿Qué personas de tu alrededor pueden servirte de apoyo para tus proyectos? ¿Existe alguien que pueda acompañarte en tu camino, ya sea de forma activa como compañero de entrenamiento o en plan pasivo como «preparador» personal?

3 Establece tu plan personal de entrenamiento
> ¿En qué días fijos y a qué horas fijas puedes comprometerte con tu plan de entrenamiento semanal?
> ¿De qué otras horas variables dispones como reserva?

4 Compra los accesorios que necesites
> ¿Qué equipamiento deportivo vas a usar?

5 Ten presentes todos los obstáculos
> ¿Quién podría querer disuadirte de tus propósitos?
> ¿Cómo reaccionarás?

6 Ten preparado un plan de emergencia
> ¿Qué ideas te pueden ayudar si las cosas no van como habías planeado?
> ¿Qué harás si te ves obligada a hacer una pausa?

7 Prémiate
> ¿Qué pequeñeces te permitirías una vez que hayas conseguido algunas mejoras?
> ¿Qué regalo has decidido hacerte al alcanzar tu objetivo?

34

¡Utilizar platos pequeños!

TAMBIÉN SE COME CON LA VISTA. ¿Eres de las personas que se comen todo hasta dejar vacío el plato? Pues no eres la única. Muchos de nosotros comemos y comemos mientras haya algo en el plato, y casi sin darnos cuenta de lo que nos llevamos a la boca. Puede que esta actitud provenga de tiempos en que las calorías eran escasas y se debía aprovechar cualquier oportunidad de conseguir algo comestible. Quien quiera adelgazar y escatimar cualquier caloría posible, lo que debe hacer es activar el sentido común y, antes de comenzar a comer, tener mesura en todo lo que vaya a llegar a su plato.

EL SER HUMANO ES MANIPULABLE

En un conocido estudio reciente, unos investigadores norteamericanos comprobaron que la mayoría de los individuos sometidos al experimento comieron hasta vaciar su plato, sin importarles la cantidad de comida que hubiera en su ración. La mitad de esas personas recibieron sopa en platos hondos convencionales mientras que el resto de ellas la comieron en recipientes en cuya parte inferior los investigadores habían colocado un tubo que les permitía rellenar los platos de forma constante. El resultado fue tan claro como llamativo: las personas de los platos rellenables comieron por encima de un 70 por ciento más que las que tomaron la sopa en cuencos normales. Además, los «comensales trucados» no se sintieron demasiados saciados.

Una cantidad de 100 a 200 calorías, arriba o abajo, es una cantidad de la que no nos podemos percatar al comer; no obstante, con el tiempo sí se hace perceptible en la talla de la ropa. En lo que se refiere a la cantidad, la vista juega un papel mucho más importante que el estómago.

Las raciones de ambos platos son idénticas. Sin embargo, las 400 calorías del plato pequeño parecen mucho más abundantes.

Cómo disminuir las raciones

■ Para preparar la comida que vayas a tomar, debes colocarla sobre un peso de cocina. Después de pesarla retira del 10 al 20 por ciento y coloca la ración en un plato más pequeño. Al cabo de unos cuantos días te habrás acostumbrado a esas nuevas cantidades de comida.

■ A modo de comparación: 1 pieza de fruta o un puñado de verduras es una buena ración. Los comedores normales suelen quedar saciados con 125 a 150 g de carne magra, mientras que para el pescado la ración debe ser de unos 200 g o un poco más.

■ Las raciones pequeñas te parecerán más grandes si dejas huecos vacíos en el plato o las decoras con ramitas de hierbas aromáticas, zanahoria rallada o unas hojas de lechuga. Los postres diminutos pueden resultar más impresionantes si rellenas los «espacios en blanco» con cacao o azúcar glas, o bien los decoras con flores frescas comestibles.

35

Dejar de lado la autocrítica exagerada

FUNCIONA MEJOR SI ADOPTAS UNA ACTITUD INTERNA ADECUADA: quien quiera adelgazar suele colocar el listón demasiado alto para perder en seguida esos indeseables kilos de más. Si ese sobrepeso no desaparece a la velocidad deseada, puedes llegar a sentirte víctima del fracaso. ¿Cómo motivarse de nuevo? Es muy sencillo: elimina tu desánimo y ten confianza en que vas a alcanzar de nuevo el éxito. El mayor adelgazante posible está colocado justo entre tus dos orejas: aprende la forma en que el cerebro te puede ayudar a adelgazar.

DECIRTE COSAS AGRADABLES

Son muchos los procesos mentales que se desarrollan en nuestra cabeza como si se tratara de una conversación con los papeles repartidos: «¿Debo hacerlo?». «No, mejor no.» «Bueno, pues lo voy a intentar. Tiene sus ventajas. ¡Vamos ya!» Una cosa parecida es la que ocurre en nuestro cerebro cuando hablamos con nosotros mismos y en nuestro fuero interno adoptamos distintos puntos de vista. Si una opinión demasiado crítica nos ejerce un exceso de influencia, perdemos confianza en nuestras propias capacidades. «Hoy no has perdido ni un solo gramo. No lo vas a conseguir» es lo que susurraría nuestro crítico interior.

Y esos susurros son los que nos roban la capacidad de resolución y la confianza. Se trata, por lo tanto, de cambiar a largo plazo nuestra forma de pensar. Eso se puede conseguir, según indican las investigaciones de los científicos del Instituto Max-Planck de Cibernética Biológica. De hecho se pueden hacer patentes esas modificaciones con la ayuda de un escáner cerebral. Millones de células nerviosas generan nuevas estructuras cuando aprendemos a modificar nuestra actitud interna. No es nada complicado. Solo precisas un poco de paciencia y tolerancia contigo misma.

Contradecir al crítico que llevas en tu propio cerebro

Pruébalo, es seguro que encontrarás otros muchos ejemplos.

El crítico:
¡Has caído de nuevo en la trampa de las calorías y has comido demasiado! Ahora ya todo da igual, sigue comiendo con toda tranquilidad.

Replícale:
He comido más de lo que quería. Al fin y al cabo no es fácil parar si algo es muy sabroso. Pero ahora lo voy a dejar.

El crítico:
¿Ves como ya te has vuelto a atiborrar de golosinas? ¡Eres incapaz de controlarte! ¡Inútil!

Replícale:
Es normal que no siempre pueda resistir las tentaciones, pero no renuncio. A partir de ahora, si me da un ataque de hambre canina hacia algo dulce, me limitaré a poner el avisador de cocina para que suene en 10 minutos y esperaré. Siempre que pueda, intentaré controlarme.

El crítico:
¿A que es muy cómodo pasarse toda la tarde en el sofá delante de la tele? Eres una tonta holgazana que nunca te enfrentas contra las curvas ni haces deporte de forma regular.

Replícale:
¡No soy perezosa! Lo que pasa es que me resulta complicado volver a ponerme en marcha después del trabajo. A partir de ahora planificaré de otra forma el tiempo de mi entrenamiento o me iré directa al gimnasio después del trabajo.

36

Cuando ataca el hambre canina: tener preparado el tentempié adecuado

¿QUÉ TAL UNA BARRITA DE MUESLI? Eso suena bastante saludable. Sin embargo, lo más idóneo no son esos productos que atraen de forma imperiosa a los hambrientos compradores mientras esperan en la cola de la caja del supermercado. Su contenido en nutrientes y su capacidad para saciar los hacen parecerse mucho más a una golosina que a un sano tentempié. Si eres entusiasta de esas crujientes barritas para frenar los ataques de hambre, lo mejor que puedes hacer es prepararlas en tu casa. Son muy sabrosas y mantendrán la sensación de saciedad durante mucho tiempo.

¿MEJOR QUE RENUNCIAR AL PICOTEO?

¿Es imprescindible, si quieres mantener estable tu curva de rendimiento, comer alguna pequeñez entre horas si te agobia un poco el hambre? ¿Quizá son esos tentempiés los que te cargan con kilos de más? Esas preguntas se las plantearon los investigadores de la Universidad de Göteborg, en Suecia, y a lo largo de más de un año estudiaron si resultaba más sencillo mantenerse con un determinado presupuesto de calorías sobre la base de consumir o no comidas entre horas. Uno de los grupos del test debía contentarse con tres comidas diarias mientras que los otros individuos del experimento podían hacer esas tres comidas más un suplemento añadido de tres tentempiés. Los resultados fueron sorprendentes: a lo largo del año, el grupo que tenía prohibidos los tentempiés tendió a consumirlos cada vez más, mientras que los autorizados los consumieron con menos frecuencia. Al final, ambos grupos se comportaron de forma muy parecida y también se comprobó que habían adelgazado casi lo mismo. Tampoco mostraron grandes diferencias en cuanto a su nivel metabólico.

> **Resumen:** con tentempiés o sin ellos, siempre se deben mantener controladas las calorías.

Con estas barritas de muesli se asegura una pequeña dosis de regeneración de energía para momentos intermedios.

Barritas de muesli con fruta

1 barrita contiene:
4 g de proteínas | 4 g de grasas |
17 g de carbohidratos | 3 g de fibra |
127 de kcal | 532 de kJ

Ingredientes para 12 piezas

75 g de frutas deshidratadas, por ejemplo, albaricoques, manzanas, higos

50 g de almendras (enteras, sin pelar)

40 g de brotes tostados de soja (en comercios de productos dietéticos)

30 g de semilla de lino

50 g de copos de avena crujientes

50 g de copos de mijo

125 g de miel líquida

1 paquete pequeño de azúcar de vainilla (o extracto de vainilla)

1 clara de huevo

1 Cortar las frutas en dados pequeños y pelar las almendras. También se pueden trocear ambas cosas con un robot de cocina. Luego se añade la soja, las semillas de lino y los copos de avena y se revuelve todo.

2 Se añade la miel, el azúcar y la clara de huevo y se mezcla todo bien.

3 Colocar esta mezcla de aspecto desmenuzado sobre una bandeja cubierta con un papel de hornear. Preparar, con las manos humedecidas, un rectángulo de masa de 1 cm de espesor y presionar firmemente sobre él.

4 Precalentar el horno a unos 150 °C y luego hornear la masa de 30 a 35 minutos. Después se corta en 12 barritas que se dejarán enfriar sobre la rejilla del horno. Es posible almacenarlas por capas en una lata con tal de que entre cada dos capas se coloque un papel de horno para evitar que se peguen.

Caducidad: unos 10 días

VERDURA DE TEMPORADA: Con estas barritas de muesli es recomendable beberse un vaso de agua; de esa forma los ingredientes se hinchan y llenan el estómago. En ese momento, el cerebro envía la señal de saciedad.

37

Adelgazar más rápido con una buena resistencia

CON UNA BUENA RESISTENCIA puedes permitirte muchas más cosas y quemar más grasas. Puedes evaluar tu resistencia de forma muy sencilla solo con tomarte el pulso. Esta medida te muestra la economía con que trabaja tu corazón en condiciones de reposo. Que ese órgano necesite dar más o menos pulsaciones será un factor determinante para tu estado de entrenamiento; y cuanto mejor sea ese valor, más adelgazarás.

DIEZ MILLONES DE PULSACIONES, **MÁS O MENOS**

El corazón regula el abastecimiento de sangre a partir de una combinación de la frecuencia cardíaca (pulsaciones por minuto) y volumen de bombeo, que es la cantidad de sangre que se lanza al torrente sanguíneo con cada acción cardíaca. Un músculo cardíaco entrenado puede transportar más sangre y de hecho lo suele hacer con menos pulsaciones.

Por suerte, el sistema cardiocirculatorio reacciona bien y de forma rápida ante un entrenamiento regular de resistencia. Es una circunstancia que se puede medir por medio del pulso en reposo. Para un principiante se puede afirmar de forma muy realista que en el espacio de medio año, se puede ahorrar un total de diez pulsaciones por minuto. Eso supone unos cinco millones de pulsaciones en un año, lo que significa un verdadero alivio para el corazón. Quien sea capaz, a la larga, de disminuir su pulso de 80 a 60 pulsaciones ahorrará hasta diez millones de latidos al año. Si se está equipado con una buena resistencia, el entrenamiento para el ejercicio resulta bastante más sencillo y se queman, además, muchas más grasas.

Así se mide el pulso en reposo

Por la mañana temprano, aún en la cama, tómate el pulso tres días seguidos. Para ello coloca los tres dedos centrales en la parte interior del brazo, por debajo de la articulación de la muñeca. Cuenta las pulsaciones que registras en 60 segundos. El valor medio de las tres medidas lo puedes considerar como la cifra de tu pulso en reposo.

Cuanto más bajo sea el pulso en reposo, más alta será la posibilidad de que tu resistencia esté bien entrenada; la afirmación también es correcta a la inversa. De todas formas siempre se trata de valores indicativos y existen excepciones. Hay que tener en cuenta la edad, ya que el pulso aumenta a medida que pasan los años. El peso corporal también juega un papel determinante: las personas con un fuerte sobrepeso (con independencia de su estado de entrenamiento) suelen tener diez pulsaciones más que otras con menos peso. Esto se debe al nivel de insulina típico en cada intervalo de peso: la insulina activa la hormona del estrés y, por lo tanto, el pulso aumenta. El efecto de entrenamiento se puede percibir a la perfección con la disminución del pulso en reposo: disminuye la cantidad de pulsaciones, lo mismo que el nivel de estrés condicionado por la insulina.

VALORES DEL PULSO EN REPOSO

Hasta los 40 años	A partir de los 40 años	Hasta los 60 años	Comentario
‹ 50	‹ 55	‹ 60	Valor muy bueno, buen entrenamiento de resistencia
50 – 59	55 – 64	60 – 69	Valor bueno, aceptable entrenamiento de resistencia
60 – 69	65 – 74	70 – 79	Valor normal
70 – 80	75 – 85	80 – 90	Valor elevado, entrenamiento de resistencia moderado
› 80	› 85	› 90	Valor de reposo elevado, sin entrenamiento

38

Superar las pausas del proceso de adelgazamiento

ES NORMAL HACER ALGUNA QUE OTRA PAUSA CUANDO SE ESTÁ ADELGAZANDO: ¿comes menos, has adelgazado algunos kilos pero desde hace algunas semanas tu peso ya no varía? No te dejes desanimar si, de repente, no te quitas ni un solo gramo más. Estas fases no son nada fuera de lo habitual. El cuerpo necesita algún tiempo para reorganizar sus procesos internos de estructuración. Aprovecha ese tiempo para hacer una pausa o un cambio en tu dieta y dale así un nuevo impulso a tus hábitos alimentarios.

METABOLISMO SOMETIDO **A UN TRATAMIENTO DE AHORRO**

Quien se compromete a comenzar una dieta, en seguida comprueba cómo se le funden los primeros kilos y eso le hace feliz. Pero tal velocidad no se puede mantener durante mucho tiempo, pues hay un momento en que el cuerpo reacciona ante la escasez de las calorías habituales de forma muy eficiente: hace que descienda la temperatura e intenta ahorrar toda la energía posible en la actividad del día a día. Ése es el motivo por el que durante cierto tiempo no disminuye el peso, pues el cuerpo intenta arreglárselas con lo que le ofrecen. Si la oferta de calorías

es aún escasa y se procura activar además un programa de ejercicios que se encargue de que crezcan los músculos y consuman más energía, volverá a comenzar la pérdida de peso. Pero esto puede tardar cierto tiempo, pues con el paso de los años el organismo se habrá acostumbrado a la abundancia de comida y a un elevado suministro de calorías. La culpa la tienen con gran probabilidad los neurotransmisores, el cerebro y el metabolismo, que pueden estar muy marcados por las comidas ricas en calorías.

[PAUSA]

Solo hay que tener paciencia

La mejor manera posible de impedir las pausas es mantener lento desde un principio el proceso de adelgazamiento. Si ya has probado muchas dietas, lo mejor es que seas cuidadosa y no escatimes más de unas 200 calorías a lo largo del día. Tu cuerpo casi no lo apreciará y, de esa forma, te ahorrarás un frustrante parón en tu adelgazamiento.

Hacer pausas

Si ya desde hace bastante tiempo no observas cambios en la balanza, lo mejor es detener el programa de adelgazamiento. Sigue comiendo de forma saludable y consciente de las calorías y afloja un poco las riendas. Comprueba tu peso cada semana para que esta fase no te suponga engordar más de uno o dos kilos.

Volver a empezar

¡Después de una pausa en la dieta debes cambiar la estrategia! En caso de que hasta la fecha hayas seguido un plan de comidas orientado a las proteínas, cámbiate ahora a otro con carbohidratos lentos, abundantes alimentos crudos y sopas que sacien el estómago. Si, a la inversa, has escatimado las grasas y has tomado carbohidratos hasta la saciedad, lo mejor es que pongas muchas proteínas en tu plato.

Un tiempo muerto de vez en cuando

Las dietas muy largas se soportan mucho mejor si no hay que someterse de forma constante a unas reglas demasiado severas. En ocasiones, también se puede disfrutar con los amigos con una comida de *gourmet*. No te arrepientas, pero tampoco te olvides de volver a la dieta el día siguiente.

39

Con más proteínas se pone en marcha la calefacción interior

UN MOLESTO EFECTO SECUNDARIO DE LAS DIETAS POBRES EN CALORÍAS: en seguida sientes frío y te apetecería ponerte tres jerséis, uno encima del otro. ¿Se puede hacer algo contra esto? Sí, y es bastante sencillo: preocúpate de tomar bastantes proteínas, es decir, albúmina, con la comida. Por ejemplo, consume huevos, leche, quark, yogur, queso, pescado y carne.

NO HAY CALOR SIN APORTACIÓN DE ENERGÍA

En el lenguaje especializado el efecto de calor que produce una buena comida se denomina «termogénesis posprandial». La cantidad de energía que se «quema» depende de la cantidad de músculos y de lo que se acabe de comer. Cada una de las sustancias nutritivas origina una producción de calor en el cuerpo que es de distinta intensidad y se mantiene en el tiempo. La proteína es, con un 18 a un 25 por ciento de la cantidad de energía ingerida, el mejor donante de calor. Al margen de lo anterior, en la actualidad son cada vez más los expertos nutricionistas que aconsejan tomar al menos 50 g de proteína al día. El mínimo que precisa el cuerpo para sobrevivir es, de hecho, más bajo, pero los expertos internacionales estiman que la cantidad adicional es importante como colchón de seguridad, pues suministra al cuerpo elementos de construcción importantes para la vida. Además, los alimentos ricos en proteínas frenan la sensación de hambre.

› **Atención:** sin embargo, todas esas ventajas no deben inducir a nadie a alimentarse tan solo de carne, pescado y queso. Existen personas que ante un gran festín de proteínas reaccionan con actitudes depresivas y otras cuyos riñones, o el hígado, resultan perjudicados por el exceso de albúmina.

Tentempié de proteína para los ataques leves de hambre

150 g de atún al natural (de lata):
36 g de proteína / 162 kcal

100 g de queso duro:
30 g de proteína / 125 kcal

100 g de pechuga de pollo
o pavo en lonchas:
20 g de proteína / 102 kcal

100 g de gambas o langostinos:
19 g de proteína / 93 kcal

100 g de carne de grisón
(similar a la cecina):
17 g de proteína / 106 kcal

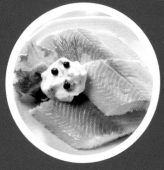

1 filete de trucha ahumada (75 g):
16 g de proteína / 90 kcal

100 g de tofu:
16 g de proteína / 144 kcal

2 huevos:
15 g de proteína / 185 kcal

50 g de queso feta *light*:
10 g de proteína / 82 kcal

40

Contar los pasos es muy efectivo

MOTIVAR LOS CONTROLES. Seguro que ya lo habrás oído o leído: a la hora de adelgazar vale cada paso, y da lo mismo que se trate de recorridos cortos o largos. El camino desde la mesa de despacho hasta a la fotocopiadora cuenta igual que un paseo con el perro.

Sin embargo, ¿eres de las que no renuncias a montar en el coche o a subir en el ascensor, que es más cómodo que ir por las escaleras? ¡Lo mejor es que te compres un cuentapasos! Las personas que llevan ese tipo de contadores adelgazan mucho más rápido.

LOS CONTADORES DE PASOS
SON UNOS ESTIMULADORES CARDÍACOS

El resultado de un estudio reciente dejó patente que los participantes del grupo de adelgazamiento que estaban equipados con un contador de pasos eliminaban casi el triple de grasa que el grupo de control, que no disponía de ese aparato. Lo sorprendente es que todos los que disponían de contador de pasos caminaban con regularidad, manteniéndose así consecuentes con las recomendaciones de practicar ejercicio.

Los modernos cuentapasos muestran en el acto el consumo actual de calorías y nos suministran así una retroalimentación (*feedback*) del aspecto que presenta nuestra cuenta de ejercicios. Este juego de números es una motivación para moverse más de lo habitual en un día. De esa forma, el cuentapasos se convierte en un estimulador marcapasos: con el contador los participantes en el estudio declararon la guerra a su abulia interior y ya no le concedieron casi ninguna oportunidad.

> **Resumen:** los contadores de pasos son muy adecuados para los reacios a practicar ejercicio, que siempre han deseado moverse algo más pero que hasta la fecha nunca han encontrado el momento adecuado y, una y otra vez, recaen de nuevo en los viejos modelos carentes de movimientos.

Elegir el aparato adecuado

■ Los contadores de paso de mayor pueden medir de forma muy fiable la actividad, para lo que disponen de unos sensores de movimientos, y a continuación muestran el correspondiente consumo de calorías. Se basan, es evidente, en el simple recuento de los pasos y también reconocen si se ha caminado de forma lenta o rápida. No se les puede engañar, como ocurría en otros tiempos, cuando anotaban como pasos lo que habían sido simples sacudidas y, en consecuencia, arrojaban valores muy altos y alejados de la realidad.

■ Los más motivadores son los aparatos dotados de un puerto USB. Con esa conexión se pueden transferir los datos a un ordenador. Después, esas informaciones son analizadas, interpretadas y pueden mostrarse en forma de balances diarios, semanales o mensuales. De ese modo se dispone de una visión de conjunto muy precisa sobre cómo se han desarrollado los hábitos de practicar ejercicio y se puede comprobar a la perfección si te has «entretenido» un día u otro.

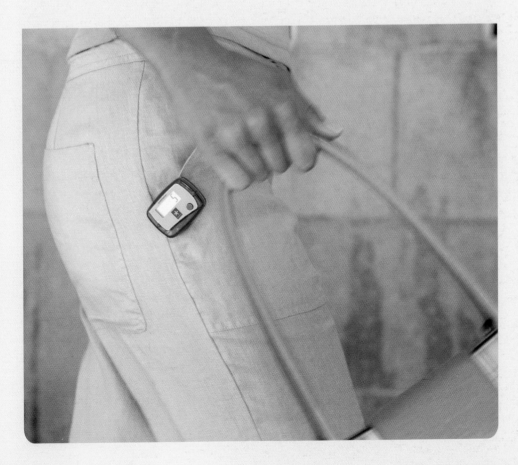

41

Procurarse un sueño más profundo

EL SUEÑO ES LO QUE MÁS FAVORECE TU ESBELTEZ. Ya lo has probado todo para adelgazar, pero seguro que no lo has intentado a base de dormir. ¿A que no? Sería como en un cuento si durante la noche pudieras quitarte todos los kilos que le sobran a tu cuerpo. Sin embargo, hay ocasiones en que los cuentos se hacen realidad. Unos investigadores canadienses comprobaron con sorpresa que la duración del sueño era uno de los factores más influyentes en el peso corporal. Para que desaparezca ese peso que te sobra, es necesario, por lo tanto, que te vayas a la cama a la hora oportuna y que disfrutes de un profundo sueño reparador.

EL CANSANCIO **ENGORDA**

Quien duerme menos tiene más hambre y, en consecuencia, come más. Es algo que ya saben desde hace mucho los médicos de empresas en las que los operarios trabajan por turnos, de forma que por las noches no van a dormir y, sin embargo, por el día están espabilados. Aunque permanezcamos echados tan tranquilos, durante la noche a nuestro organismo le suceden una gran cantidad de cosas. Las sustancias transmisoras circulan por nuestro cuerpo, y entre ellas se cuenta la hormona del estrés y el metabolismo, es decir, el cortisol, la hormona de crecimiento, la hormona del sueño o melatonina y los dos factores clave de nuestro balance energético, grelina y leptina. Como la mayoría de las hormonas, también siguen un ritmo de veinticuatro horas. La carencia de sueño provoca el desequilibrio de su interacción.

> **El motivo:** el organismo no dispone de tiempo suficiente y genera poca leptina, la hormona que inhibe el apetito, con lo que se trastorna el metabolismo de los azúcares. Quien durante una larga temporada duerma menos de siete u ocho horas al día debe esperar un incremento de su peso corporal. Ésa fue la deducción de los investigadores canadienses como consecuencia del experimento que se prolongó seis años en el Quebec Family Study.

Para que duermas bien

No excederse en el trabajo

Quien trabaja mucho, duerme mal. A largo plazo, una jornada laboral demasiado exigente llega a provocar trastornos del sueño. Ésta es la conclusión a que han llegado diversas instituciones relacionadas con la medicina laboral y la prevención. Es importante, por lo tanto, que llegues pronto a casa y hagas las pausas pertinentes.

No te vayas a la cama con hambre

La carencia de nutrientes provoca en algunas personas que su cerebro se coloque en un estado de alarma que mantienen el lema: «Levántate y consigue algo para comer». En consecuencia, si sientes hambre antes de acostarte, lo mejor para dormir con tranquilidad es que degustes un tentempié ligero y saludable; es mejor eso que no poder descansar a causa de los ruidos del estómago que te pide calorías nocturnas.

La leche lo consigue de forma efectiva

Por fin ya ha quedado claro el motivo por el que la leche es una ayuda para quedarnos dormidos: se trata de su contenido en lactoalbúmina, una proteína que nos provoca cansancio. Por lo tanto, lo mejor que se puede hacer por las noches es saborear una deliciosa bebida lacteada (ver el Consejo 9). Para aportar una cantidad suplementaria de lactoalbúmina, bastará con añadir a esa bebida una cucharada de leche en polvo.

42

Saciarse con comida poco troceada

CUANTO MÁS NATURAL, MUCHO MEJOR: para hacer la digestión nuestros antepasados obligaban a trabajar a su organismo mucho más de lo que lo hacemos nosotros hoy en día. Ellos no conocían ni el azúcar ni la harina blanca, ni siquiera la pasta con salsa de nata. En lugar de eso, en su dieta aparecían hojas, raíces, semillas, bayas y otros productos naturales. ¿Piensas que con ese tipo de alimentación los «antiguos» sentían preocupación por su figura? ¡Seguro que no! ¿Podemos, en consecuencia, copiar algo de lo que hacían para, sin ningún tipo de problema, quitarnos de encima algunos kilos de sobra?

TODO LO QUE ESTÁ MUY TROCEADO ES MALO PARA LA FIGURA

Para el metabolismo existe una gran diferencia si los cereales y las verduras llegan a la mesa cortados en trozos grandes o pequeños, así como si están crudos, cocidos o asados. La comida cruda, que debemos masticar durante largo tiempo y se digiere despacio, no eleva de inmediato el nivel de azúcar en sangre. Para desintegrar los granos enteros, los jugos gástricos precisan más tiempo que para asimilar las sustancias nutritivas contenidas en una rebanada de pan blanco. El motivo reside en la recia estructura celular de las plantas, que actúa como una barrera y que sirve para que las calorías de los alimentos lleguen muy despacio, como con cuentagotas, al torrente sanguíneo, lo que supone que el nivel de azúcar en sangre se mantenga estable durante horas. La sensación física de hambre regresa una vez que se han consumido todas las reservas. La forma en la que un alimento afecta al nivel de azúcar en sangre se denomina «índice glucémico». Las verduras y los cereales tienen un valor muy bajo. Las frutas dulces y la harina blanca tienen un elevado índice glucémico y proporcionan un intenso impulso energético que, sin embargo, no se mantiene durante mucho tiempo. Como estos carbohidratos «rápidos» elevan el nivel de insulina, el estómago no tarda mucho en empezar a hacer ruidos.

Una buena ración de crujientes productos frescos resulta muy beneficiosa para el nivel de azúcar en sangre.

Crudités con trigo tierno

1 ración contiene:
12 g de proteínas | 7 g de grasas |
55 g de carbohidratos | 8,5 g de fibra |
342 de kcal | 1445 de kJ

Ingredientes para 2 raciones

100 g de trigo tierno
Sal
1 pizca de cúrcuma
50 g de rúcula
½ colinabo
1 zanahoria
150 g de tomates
1 lata de maíz
(140 g de peso escurrido)
2 o 3 cucharadas de vinagre
de vino blanco
1 o 2 cucharaditas de mostaza
de picor medio
1 pizca de azúcar
Pimienta recién molida
1 cucharada de aceite vegetal
Hierbas aromáticas de temporada

1 Cuece el trigo y la cúrcuma durante 10 minutos en agua salada, retira luego el agua y deja escurrir en un colador.

2 Lava la rúcula y colócala sobre dos platos grandes. Lava el colinabo y la zanahoria, rállalos en trozos grandes y ponlos sobre la rúcula.

3 Lava bien los tomates, córtalos en trozos grandes y escurre el maíz. Esparce el trigo sobre todos los ingredientes crudos.

4 Para preparar la salsa de la ensalada echa en un recipiente pequeño la mostaza, la salsa de soja, el azúcar y la pimienta. Remuévelo todo bien, agrega el aceite y bate bien con unas varillas hasta que se forme una salsa homogénea. Échala por encima de las verduras y decora con hojas de hierbas aromáticas.

EL TRIGO TIERNO son granos secos y precocidos de trigo duro; cuando se han cocinado unos pocos minutos ya están listos para comer. En el supermercado se suele encontrar junto al arroz y la pasta.

43

Desconectar: no siempre, pero cuantas más veces, mejor

EL MAYOR ENGORDADOR DE NUESTRA ÉPOCA CARECE POR COMPLETO DE CALORÍAS: se trata de las pantallas. La vida de muchas personas transcurre entre varias de ellas. Algunos pasan interminables horas ante el ordenador de la oficina y otros se distraen con las que tienen en casa. El problema: la televisión, las consolas de juegos y los ordenadores nos mantienen inmóviles y pegados al asiento. Y puesto que la «caja tonta» acapara por completo nuestras células grises, no somos conscientes de que mientras la miramos hemos ido una y otra vez a conseguir algo de beber y una bolsa de patatas. Prueba lo rápido que adelgazarás si accionas el botón de «apagado».

ACTIVIDAD CEREBRAL, **PERO NO SE MUEVE NI UN SOLO MÚSCULO**

Nuestra vida sería impensable sin los medios de la electrónica del ocio. Pero si quieres adelgazar sin problemas y de un modo permanente, harás muy bien el limitar su consumo de forma consciente. Cuanto más tiempo pases delante de la pantalla, mayor será el riesgo de engordar. Se pierde la sensación del propio cuerpo y el metabolismo se sitúa en el «modo de ahorro de energía». Y, lo que es peor, si permaneces sentada durante todo el día, no comerás tan poco como necesitas en realidad (ver el Consejo 26). Además el mundo actual de las imágenes estimula tanto nuestras células grises que se precisan hidratos de carbono rápidos para poder calmar el subsiguiente ascenso del neurotransmisor serotonina. La suma de golosinas con la contemplación de la televisión no solo es una mala costumbre enemiga de tu figura, sino que, además, trastoca tu biología.

Una tarde con amigos es mucho más divertida que pasarla delante de la televisión.

▨ Apagar la televisión a la hora de comer

Si funciona la «caja tonta», las células nerviosas están ocupadas en procesar las imágenes y casi no son capaces de registrar lo que comemos. La falta del flujo de estímulos exteriores provoca que el mensaje de las calorías llegue mucho mejor a nuestro cerebro que así se da perfecta cuenta de todo lo que hay en el plato.

▨ Apartar de la vista todo el picoteo

¿Hoy es tarde de televisión y no hay forma de eludirla? En ese caso, coloca lejos todos los frutos secos y las golosinas para que cada vez que quieras algo te tengas que levantar. Esto reduce la cantidad, te hace consciente de lo que comes y es, además, una forma de activar un poco los músculos. ¡Es mejor que nada!

▨ Mirar menos y hacer más

Lo mejor es limitar de forma consciente el tiempo que pasamos delante de la televisión, que no debería pasar de una hora, como mucho hora y media, al día. Resulta útil definir los tiempos libres de televisión con reglas del tipo «nunca antes de las ocho de la tarde» o «solo los fines de semana». Si la pantalla se mantiene oscura, suele aparecer por sí mismo el deseo de hacer otras cosas.

44

Potencia por encima de la línea del cinturón

QUIEN LLEVA MUCHO SOBREPESO ENCIMA, exige demasiado a la musculatura de sus piernas que, con cada paso, deben mover toda la carga que supone el cuerpo (incluyendo los kilos de más); por eso no debe extrañarnos que esos miembros se mantengan en mejor estado de entrenamiento que la musculatura del tronco, los brazos y los hombros. Es el motivo por el que las personas con algún exceso de peso suelen tener más facilidad para conseguir la estructuración de los músculos existentes por encima de la línea del cinturón, pues es algo crónico que esas partes estén poco exigidas y, en consecuencia, se puedan desarrollar mejor y más rápido.

¡EL TRABAJO DE ESTRUCTURACIÓN MUSCULAR **COMPENSA!**

Por lo tanto, sobre la línea del cinturón es donde se localiza el mayor potencial de mejora. Si quieres conseguir unos resultados eficaces y rápidos, lo mejor que puedes hacer durante las primeras semanas y meses es orientar tu programa de entrenamiento sobre todo a la musculatura de los brazos, la espalda, los hombros y el pecho. Dado que cada kilogramo de masa muscular nueva consume una energía adicional, con ese sistema se acelera el proceso de una forma decisiva hasta conseguir el peso deseado.

Sin embargo, esto no significa en absoluto que debas dejar de lado el entrenamiento de las piernas. El objetivo del entrenamiento de musculación procura, en la medida de lo posible, evitar que se produzca una eliminación de masa muscular, circunstancia que suele acompañar al adelgazamiento. Puesto que con cada kilogramo que se adelgaza se reduce también la carga sobre la musculatura de las piernas, el cuerpo procura eliminar los músculos sobre los que no se ejerce una exigencia suficiente. Basta con uno o dos ejercicios para mantener firme tu musculatura de las piernas.

> **Resumen:** si se da preferencia a la estructuración de masa muscular en la zona del tronco y parte superior del cuerpo, al principio se obtienen los mejores resultados.

Los tres mejores ejercicios para la parte superior del cuerpo

1 Fondos

Colócate en posición de hacer flexiones y reparte tu peso corporal de forma equilibrada entre las manos y las rodillas. Mantén el cuerpo formando una línea y eleva las caderas mientras mantienes esa línea. Baja despacio el cuerpo hasta casi tocar el suelo y haz una fuerte presión con la musculatura del pecho, hombros y brazos hasta regresar a la posición de partida.

2 Postura cuadrúpeda

Apóyate con uniformidad sobre los brazos y las piernas. La espalda y la cabeza deben formar una línea horizontal. Después debes elevar la pierna de un lado y el brazo del lado contrario hasta que queden en prolongación de la espalda. Tensa además la musculatura abdominal para que se mantenga la estabilidad de la pelvis y no incurras en lordosis. Después de hacer de 15 a 20 repeticiones, cambia alternativamente de lado.

3 *Flexband* o banda elástica

Sujeta la banda con los pies separados a una distancia similar a la anchura de tus hombros. Luego tira de ambos extremos de la banda formando una cruz por delante del cuerpo y levanta los brazos, manteniéndolos en posición de flexión, hasta la altura de los hombros.
Repite de 10 a 15 veces.

45

Despedirse de la pasión por los dulces

¿CALORÍAS SIN PARAR? El azúcar no es, ni mucho menos, la reencarnación del mal. Más bien todo lo contrario, pues hemos nacido con una predilección genética hacia ese producto, ya que nuestros predecesores se sentían muy motivados a consumir frutos maduros por la gran cantidad de nutrientes que contenían. ¡Por lo tanto es una apetencia muy natural! Según el tipo de cada persona, puede resultar más o menos complicada la renuncia al dulce: quien ha heredado un intenso metabolismo de los azúcares, se siente verdaderamente ansioso por las golosinas. En algunas ocasiones, lo único que te puede ayudar es prescindir en absoluto de esa dulce droga.

TRAMPA DE CALORÍAS **Y FACTOR DE FELICIDAD**

En los últimos 150 años el consumo de azúcar en muchos países se ha multiplicado por 20. Ha ocurrido, con toda probabilidad, porque los cristales puros, al contrario de lo que ocurre con la fruta dulce, suponen una auténtica adicción para algunas personas. Al fin y al cabo, después de consumir azúcar nuestro cerebro nos recompensa con la secreción de mensajeros alegres como pueden ser la serotonina y la dopamina, que provocan una agradable sensación sedante que asciende desde el estómago y que se extiende por la cabeza como si fuera una rosada neblina de sosiego.

Las encuestas afirman que son en especial las mujeres las que más sufren esta adicción a los dulces. Puede deberse, sin más, a que muchas de ellas sufren carencia de hidratos de carbono. Muchas personas ignoran el hambre durante tanto tiempo que al final su organismo les exige de forma imperiosa la entrega de una energía rápida, y en esos momentos hace un llamamiento al chocolate y sustancias similares. Y si, ya desde la infancia, alguien ha aprendido a mitigar sus desgracias con azúcar, sus células grises considerarán ese producto como una «medicina» contra el aburrimiento, el miedo, la falta de amor y el estrés.

Así vences el hambre insaciable hacia los dulces

Prevenir

Protégete del hambre desenfrenada a los dulces durmiendo bastante (ver el Consejo 41) y tomando muchos carbohidratos lentos, que sirven para estabilizar el azúcar en sangre. A este respecto puedes consultar el Consejo 4 sobre legumbres, el 36 acerca de barritas de muesli y el 42 relativo a crudités.

Mucho ejercicio

Todo lo que eleva el ánimo inhibe el hambre hacia las golosinas. Para adelgazar, lo mejor es hacer deporte. Nos procura buen humor e impide los bajones anímicos. Además, mientras practicas pilates no te puedes comer unos bombones y si juegas al balonmano no tendrás a mano una tarta de frambuesas.

El dulce final

Puedes mantener en jaque los grandes accesos de hambre de dulce y disfrutar cada día de un pequeño postre. Si de antemano has tomado una comida equilibrada, te sentirás saciada y no existe el peligro de que te pases de la raya.

Si no se puede hacer de otra forma, hay que recurrir a la privación

Si no consigues limitar la cantidad, lo más sencillo que puedes hacer es suprimir por completo el azúcar. Esto significa en concreto que debes pasar cuatro semanas, o mejor seis u ocho, sin probar en absoluto el dulce. Después de ese lapso de tiempo, tu cerebro y tu digestión se habrán acostumbrado y ya no «gritarán» pidiendo chocolate, helados, pasteles y otras bombas de azúcar.

97

46

Mantenerse siempre en forma

CORRER ES EL TIPO DE DEPORTE MÁS NATURAL y al mismo tiempo el mejor quemador de grasas. Si solo te sobran unos pocos kilos y no tienes problemas en las articulaciones, entonces esa estrategia es la óptima para que adelgaces y mantengas un control duradero de tu peso. De todas formas, los inicios en este deporte deben ser suaves y con una organización sistemática. De lo contrario correrás el peligro de sufrir reacciones de sobrecarga que te frustrarán y pondrán en peligro tus resultados deportivos.

«EL PÁJARO VUELA, EL PEZ NADA, **EL HOMBRE CORRE**»

Esta cita del campeón mundial Emil Zátopek lo deja bien claro: correr es el deporte más natural del ser humano. El consumo de energía (bajo las mismas condiciones de esfuerzo) es un 20 por ciento mayor que en otros tipos de deportes de resistencia, como montar en bicicleta, el patinaje en línea o la marcha nórdica. En cada paso es necesario transportar el peso corporal, dejarlo caer y comenzar de nuevo.

Sin embargo, la práctica de correr también impone esfuerzos a las articulaciones de pies, rodillas y caderas; según el estilo y la velocidad, las fuerzas actuantes al correr pueden suponer hasta dos o tres veces el peso del cuerpo. Para evitar las sobrecargas es obligatorio adquirir una buena técnica de carrera y un calzado deportivo de gran calidad.

> **Los principiantes deben estructurar de forma sistemática el plan de la carreras,** de lo contrario llegan de inmediato las sobrecargas, y no «solo» en las articulaciones, sino que afectan de forma especial al sistema cardiocirculatorio. Lo más adecuado son los entrenamientos de intervalos, compuestos de bien dosificados cambios con recorridos para andar y otros para correr.

Programa inicial de cuatro semanas

El principio del entrenamiento de intervalos consiste en que, de forma sistemática, se deben realizar pausas para caminar dentro del entrenamiento para correr. De esa forma le ofreces periódicamente a tu cuerpo la posibilidad de descansar hasta llegar a la siguiente sesión de carrera.

Incrementa poco a poco las sesiones de carrera y disminuye las de caminar hasta que te resulte posible realizar de forma ininterrumpida una «carrera sin jadear».

Una vez que puedas correr durante 10 minutos sin parar, ha llegado el momento de aumentar tu plan de carrera hasta resistir media hora o más sin perder la respiración.

Después debes servirte de la siguiente regla básica: primero aumenta la longitud de los recorridos y luego eleva la velocidad de carrera.

PRIMERA SEMANA	SEGUNDA SEMANA	TERCERA SEMANA	CUARTA SEMANA
3 minutos andar*	3 minutos andar*	3 minutos andar*	3 minutos andar*
3 minutos correr	4 minutos correr	5 minutos correr	10 minutos correr
3 minutos andar	2 minutos andar	1 minuto andar	3 minutos andar*
3 minutos correr	4 minutos correr	5 minutos correr	-
3 minutos andar*	2 minutos andar*	2 minutos andar*	-

* Incorporar ejercicios de relajación y de estiramientos suaves.

47

Comer cosas más esponjosas y ligeras

EL VOLUMEN ES EL TODO. Raciones tan diminutas que casi es imposible encontrarlas en el plato, eso no es nada para candidatos a adelgazar que se sientan hambrientos. No solo se trata de las calorías, sino que la cantidad también resulta de suma importancia para adquirir la sensación de haber ingerido una comida abundante. Cuanto más volumen tenga un alimento, mejor llenará el estómago. Por ese motivo, el hecho de ver mucha comida en el plato es un buen auxiliar para que adquiramos la sensación de saciedad. Con una clara a punto de nieve en el quark o unas palomitas hechas en casa, en lugar de unas grasientas patatas, te puedes ahorrar unas cuantas calorías.

MENOS CANTIDAD DE ENERGÍA, **MÁS VOLUMEN**

Un concepto de dieta que hace algunos años hizo furor fue la denominada «volumétrica», que ahora vuelve a estar de moda con el nombre de «principio de densidad energética». Detrás de ello se esconde el reconocimiento de que los ojos y el estómago no tienen un contador de calorías, sino que solo son capaces de valorar la cantidad, es decir, el volumen. Si nos aparece en la mesa un plato repleto de verdura, con muy baja densidad de energía, nuestros ojos transmiten al cerebro el siguiente comentario: «¡Qué ración tan enorme!». Después de la comida, los detectores del estómago se dirigen hacia lo alto y exclaman: «¡Estoy totalmente saciado!». Consigues el mismo efecto si colocas unas hojas de lechuga rizada sobre el pan con mantequilla. Y lo mismo ocurre con los gofres de arroz integral, cuyos granos se han dilatado tanto que llegan a parecer arroz inflado: consiguen dar la sensación de ser mucha cantidad y sin embargo solo tendrás 20 calorías sobre el plato. La misma cantidad de energía consumida en forma de caramelos, pasteles o patatas fritas sería casi imperceptible por su diminuto tamaño.

〉 **Mucha atención:** los alimentos voluminosos no se bastan por sí mismos para saciarnos. Tan solo ayudan a utilizar menos calorías en una comida que nos debe satisfacer en todos los sentidos.

¡Un piscolabis con mucho volumen!
Al fin y al cabo, el aire no tiene calorías.

Palomitas picantes

1 ración contiene:
1 g de proteínas | 1 g de grasas |
6 g de carbohidratos | 0,5 g de fibra |
47 de kcal | 195 de kJ

Ingredientes para 10 raciones

2 cucharaditas de pimentón
1 pizca abundante
(aprox. ¼ de cucharadita)
de pimienta de Cayena
¼ de cucharadita de sal
1 cucharada de parmesano rallado
1 cucharada de aceite vegetal
1 diente de ajo
100 gramos de maíz
para hacer palomitas

1 Mezcla el pimentón, la pimienta de Cayena, la sal y el parmesano.

2 Calienta aceite en una cacerola. Pela el ajo y rehógalo ligeramente en ese aceite. Luego retíralo.

3 Añade el maíz, coloca la tapa y sube el fuego a su máxima potencia. Tan pronto como escuches que empiezan a saltar los primeros granos de maíz, retira la cazuela del fuego pero no la toques hasta que los granos hayan dejado de explotar. Agita de vez en cuando el recipiente, de forma que todos los granos puedan tener contacto con el fondo de la cazuela.

4 Esparce la mezcla de especias sobre las palomitas calientes. Para que se distribuya bien debes sacudir un par de veces la cacerola, pero siempre con la tapa puesta.

48

Buscar otras recompensas

COMER PARA CONSUELO DEL ÁNIMO: las comidas sustanciosas son el camino más cómodo para mimarse, de lo contrario nadie las haría. Hay ocasiones en que rebajamos la ira que nos ha causado una injusticia y nos comemos unos cuantos tentempiés ricos en grasas sin llegar a afrontar directamente el conflicto. Entre sesiones de caricias y unas golosinas tranquilizantes recién sacadas de la nevera, lo mejor es decantarse por las primeras y disfrutar con el lado bonito de la vida. De esa forma la comida se coloca un segundo plano y el «drama» deja de ser tan importante.

¿SOLITARIA, MIEDOSA O ENFADADA?

Las personas que comen para arreglárselas mejor con sus propias sensaciones no son conscientes de que ingieren mucha más cantidad que las que comen en compañía; estas últimas, al estar con amigos o en una fiesta, consumen una cantidad muy sustanciosa de calorías, pero en raras ocasiones son víctimas de grandes accesos de hambre. Los psicólogos afirman que cada uno de nosotros tiene una profunda necesidad de adquirir vivencias. Para mantener a raya la comida, las personas cuya personalidad les exige un exceso de recompensa lo tienen mucho más complicado que el resto de sus congéneres. Aunque tengan éxito al adelgazar, corren mayor peligro de engordar de nuevo, pues han aprendido que una buena comida o unas golosinas pueden resultar una recompensa muy eficaz.

¡Pero también existe un camino de vuelta! La cabeza aprende a superar de otra forma, mucho más sencilla de lo que podríamos imaginar, los sentimientos desagradables. Si alguien al sentirse enfadado es de los que toma el camino de la nevera, la próxima vez se puede decir en voz alta: «¡Alto! No tiene ningún sentido ahogar mis sensaciones con comida». De esa forma un mero ataque de ira puede ahorrarnos unos miles de calorías y, además, nos sentará muy bien.

La forma de interrumpir la espiral estrés-comer

La alegría se puede planificar

No te sirvas del calendario tan solo para anotar reuniones y citas laborales, sino también para planificar otras actividades que te resulten divertidas y te sirvan para salir de casa: espectáculos de teatro, paseos por el barrio, viajes a otras ciudades, excursiones por el campo, visita a un baño de relajación, etcétera: la oferta es muy amplia. Si te muestras activa no pensarás en comer y tendrás mejor controlados los kilos de tu dieta.

Centros de recompensa libres de calorías

El espléndido aspecto de un edificio o la belleza de un jardín en flor provocan en tu mente un efecto muy similar al de una comida especialmente sabrosa. Los neurotransmisores se encargan de que te sientas relajada y feliz. Lo que ocurre de verdad es que se han activado las mismas zonas cerebrales que reaccionan ante un sabroso menú o una caja de bombones.

Disfrutar en compañía

Los kilos se esfuman con mayor facilidad si, en lugar de buscar consuelo en la comida, compartes algo con gente conocida. No se trata tan solo de telefonear o escribir correos electrónicos, sino de entablar contactos personales que te resulten compatibles y dedicarles bastante tiempo.

49

Quitarse de encima la grasa

ES MUCHO MEJOR DE LO QUE PIENSAS: caminar es algo muy saludable, sirve para comunicarse y además se encarga de conseguir un beneficioso contraste frente al estrés de todos los días; todo esto es algo que ya conocías. Pero, además de lo anterior, las caminatas tienen algo más que ofrecerte: si te mueves a buen paso descubrirás, como «efecto secundario», que tu cuerpo habrá quemado gran cantidad de calorías, de hecho bastantes más de lo que cabría imaginarse. Si caminas de forma deportiva, conseguirás poco a poco un elevado consumo de calorías, igual que mientras practicas el entrenamiento clásico de resistencia. ¡La suma de todo es que la utilización de energía es incluso más elevada!

TAN EFECTIVO COMO PRACTICAR UN *JOGGING* LENTO

Unos estudios del *Institut für Prävention und Nachsorge*, IPN (Instituto para la prevención y los cuidados postoperatorios), de Colonia pusieron de relieve que en una marcha intensiva practicada, por ejemplo, sobre terreno montañoso, se quemaban las mismas calorías que con la práctica del *jogging* lento. El valor medio del consumo de energía en caso de recorridos complicados puede ascender a unas 560 kcal por hora (ver el gráfico), y ésa es la misma cantidad que se utiliza en un *jogging* realizado a 8 km/h.

Sube el pulso y se vienen abajo los kilos

Según la velocidad con que camines y el perfil del recorrido, tu pulso llegará a unos ámbitos similares a los que se consiguen en el deporte de resistencia clásico. Y no olvides que cuanta más resistencia, mayor será la combustión de las grasas, lo que supone decir que tendrás menos michelines.

Una resistencia casi ilimitada

Ya que una caminata puede durar varias horas y, por regla general, es más larga que un recorrido de *jogging* o cualquier otra actividad de resistencia, al final se habrá conseguido un consumo de calorías mucho más elevado. Por ejemplo, si andas por terreno montañoso durante unas 3 horas, habrás renunciado a la considerable cantidad de 1.700 kcal.

El quemador de grasas: consejos para caminar

▨ Si tienes una colina justo a la puerta de tu casa, las cosas irán mucho mejor. De lo contrario merece la pena que conduzcas un par de kilómetros, cosa que no te resultará complicada durante el fin de semana.

▨ Si, por el contrario, vives en plena llanura, no debes renunciar a esa experiencia con la naturaleza que te va a sustraer tantas calorías: limítate a echar un par de cosas más en la mochila y comienza el recorrido.

▨ El pulsómetro te servirá para controlar y ajustar de forma óptima la intensidad del ejercicio.

▨ Todo resultará mucho más divertido si te acompañan personas que tengan tus mismos gustos. Motiva a la familia o los amigos; también puedes apuntarte a un grupo que organice marchas por la montaña.

▨ Si realizas excursiones con regularidad o tus vacaciones están conformadas de caminatas, tendrás garantizado un magnífico programa de combustión de grasas.

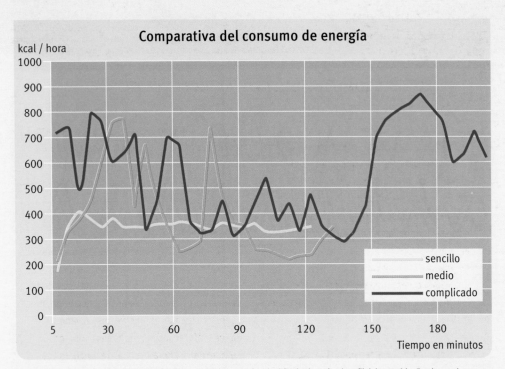

Comparativa del consumo de energía

kcal / hora

Tiempo en minutos

sencillo
medio
complicado

Ejemplos de consumo de energía en caminatas con distintos grados de dificultad según el perfil del recorrido. En el caso de caminatas por la montaña (complicado) en 3 horas se queman unas 1.700 kcal; el promedio por hora es de 560 kcal. En recorridos por lomas (dificultad media), cada hora se queman por término medio unas 395 kcal; en trayectos planos (sencillo), la medida es de unas 350 kcal.

50

Es preferible oír música que comer más a causa de la frustración

CON LA MÚSICA LOS KILOS DESAPARECEN MEJOR: las canciones pueden conmovernos y llevar a las masas al éxtasis. La música influye en nuestras sensaciones y sentimientos. Aquella persona que, a causa de la ira o del mal de amores, se abalanza contra el contenido de la nevera, debería conectar su equipo de música para deleitarse con su CD favorito. Es una actividad carente en absoluto de calorías.

SENSACIONES CON RITMO

Muchas personas comen para tranquilizarse, pero también existen otras posibilidades para mantener los sentimientos bajo control. La música es una de ellas. La música puede llegar a lo más hondo de nuestro espíritu y nadie es inmune a su magia.

Los investigadores piensan que para el ser humano la música es algo más que un mero pasatiempo. Ofrecía al hombre primitivo una ventaja en su lucha por la supervivencia y, de hecho, es uno de los factores que nos han llevado a ser lo que somos ahora. En aquellos tiempos en que había que pelear por la vida, el que cantaba estaba afirmando:

«¡Soy creativo, fuerte y saludable!», con el consiguiente provecho y beneficio a la hora de elegir pareja.

Quien quiera servirse de sus efectos debe percibir la música con total intensidad. Los pedagogos musicales hablan de una escucha «grande» o «viva». Si escuchamos con atención, afloran los sentimientos más profundos, pues los sonidos consiguen llegar a nuestro subconsciente. Y en esto no hay ninguna diferencia entre la música clásica y el pop, los musicales, el jazz o el folk. Nuestros sentimientos no distinguen entre música de primera o de segunda categoría.

¿Hambre, estrés y malhumor? La música nos ayuda contra todo eso

Sumergirse en la música después de llegar a casa

Después de un día de estrés, y antes de sentarte en la mesa, necesitas recuperarte del flujo de estímulos del día a día. Puedes tumbarte un cuarto de hora, escuchar música y no pensar en otra cosa. Ese ritual puede hacer que, a la larga, ahorres miles de calorías que, de lo contrario, hubieras ingerido como «remedio tranquilizante».

Cantar contra el hambre anímica

¿Consideras que cantas de forma absolutamente espeluznante? No pasa nada, a pesar de todo debes cantar mientras escuchas tu música favorita. Esto no solo relaja las cuerdas vocales, sino todo tu organismo y es fantástico a la hora de impedir que comas si te sientes acuciada por la frustración.

Tocar un instrumento y formar parte de un coro

¿Ha habido algún momento de tu vida en que tocabas un instrumento o cantabas en un coro? Pues ha llegado la hora de que retomes esas capacidades. Nunca es demasiado tarde y te servirá de gran provecho: los ritmos, las melodías y las secuencias que tú misma hayas producido te afectarán con toda intensidad y servirán para acariciar más el sistema de recompensas de tu cerebro que cualquier menú de día de fiesta.

Índice alfabético

Recetas

Los autores

Elisabeth Lange estudió Ciencias de la Nutrición y durante muchos años fue redactora de una importante revista femenina.

Hoy trabaja como autónoma en Hamburg-Eppendorf, donde ejerce su actividad de periodista científica y autora de libros. Su deseo es depurar la investigación actual de forma que resulte interesante y asociada a la práctica.

Elmar Trunz-Carlisi estudió Ciencias del Deporte y dirige el *Institut für Prävention und Nachsorge*: IPN (Instituto para la prevención y cuidados postoperatorios). Está especializado en deportes de rehabilitación y *fitness* y ha publicado libros y participado en numerosas colaboraciones en radio, televisión y revistas, tanto especializadas como generalistas. Además es autor y coautor de libros sobre al tema de adelgazar mientras se duerme y trabaja como ponente y profesor universitario.

CRÉDITOS

Título de la edición original:
Die 50 besten GU Tipps. Schlank macher

Es propiedad, 2009
© Gräfe und Unzer Verlag GmbH, Múnich (Alemania)

© de la edición en castellano, 2012
Editorial Hispano Europea, S. A.
Primer de Maig, 21 - Pol. Ind. Gran Via Sud
08908 L'Hospitalet - Barcelona, España.
E-mail: hispanoeuropea@hispanoeuropea.com

© fotografías:
Abreviaturas utilizadas: (aba.) = abajo; (arr.) = arriba;
(cen.) = centro; (der.) = derecha; (izq.) = izquierda.
Recetas: Studio L'EVEQUE, Harry y Tanja Bischof
Otras fotografías: Portada: Artwork de Karin Drexler (proyecto:
Getty); Corbis: págs. 12 (aba.), 29, 43, 53, 55, 59 (tipos 1, 2 y 3),
69, 77, 107; D. Rose: pág. 113 (aba.); F1 online: pág. 33;
Fotofinder: Interior de la portada (fila 3, cen.), pág. 97; Fotolia:
pág. 35 (cielo); Getty: Interior de la portada (fila 1 cen.; fila 2 izq.
y der.; fila 3 der.), págs. 5, 6, 9, 13 (cen.), 21, 23, 39, 47, 57, 59
(tipo 4), 61, 85 (fila 3 cen.), 89, 99, 103, contraportada (cen.);
GU: págs. 81 (L. Lenz), 95 (arr.), contraportada (der.) (K.
Blaschke); Jalag: págs. 27 (fila 1, cen.); Jump: págs. 7, 41, 71
(aba.), 87; Masterfile: págs. 13 (arr.), 31, 71 (arr.), 93; Mauritius:
págs. 17, 27 (fila 1 izq., fila 2 izq.), 51, 71 (cen.), 83;
Plainpicture: págs. 11, 19, 59 (tipo 5); Privat: págs. 113 (arr.);
Shutterstock: Interior de la portada (fila 1 der.), págs. 27 (fila 1
der., fila 2 cen. y der., fila 3 cen. y der.), 35 (señal de tráfico), 85
(fila 1 izq., fila 2 izq., fila 3 der.); Stockfood: págs. 27 (fila 3 izq.),
85 (fila 1 cen. y der.), fila 2 cen. y der., fila 3 izq., contraportada
(izq.), Vario images: pág. 65

© de la traducción: Eva Nieto

Toda forma de reproducción, distribución, comunicación pública
o transformación de esta obra solo puede ser realizada con la
autorización de sus titulares, salvo la excepción prevista por la
ley. Diríjase al editor si necesita fotocopiar o digitalizar algún
fragmento de esta obra.

Depósito Legal: B. 1142-2012

ISBN: 978-84-255-2038-9

Impreso en España
Limpergraf, S. L.
Mogoda, 29-31 (Pol. Ind. Can Salvatella)
08210 Barberà del Vallès

Consulte nuestra web:
www.hispanoeuropea.com